AI 대전환 시대
초격차, AI2024
(AI트렌드부터 생성형AI 도구 27개 사용법까지)

조성민

AI 대전환 시대 초격차, AI2024

발행 | 2024년 3월 30일
저자 | 조성민
디자인 | 어비, 미드저니
편집 | 어비
펴낸이 | 송태민
펴낸곳 | 열린 인공지능
등록 | 2023.03.09(제2023-16호)
주소 | 서울특별시 영등포구 영등포로 112
전화 | (0505)044-0088
이메일 | book@uhbee.net

ISBN | 979-11-93116-77-7

www.OpenAIBooks.shop

AI 대전환 시대
초격차, AI2024

(AI트렌드부터 생성형AI 도구 27개 사용법까지)

조성민

목차

머리말

OpenAI의 ChatGPT로 촉발된 생성형AI가 세상을 뒤흔들고 있다. 일부 IT 분야 종사자의 전유물이었던 AI가 모든 일반인들이 쉽게 사용할 수 있는 형태로 제공되며, 인간과 유사한 답을 내놓는 정확함에 모두가 열광하고 있다. 물론, 아직 부자연스러운 표현이나 환각의 부작용이 있긴 하지만, 모든 영역에서 세상을 집어삼키고 있다. 2023년 10월 버전업이 되면서 더욱 강해진 모습으로 GPT 생태계마저 새로 재편하고 있다. 앞으로 GPT는 더욱 빠르게 버전업이 되어갈 것이고, 그에 따른 다양한 생성형 AI 도구들이 등장할 것이다. 멀지 않은 미래에는 AI를 자유롭게 사용하지 못하는 사람은 도태될 것이라는 연구 보고서가 쏟아져 나오고 있는 지경이다.

이 책에서는 AI의 기본 개념부터 AI의 역사, 최신 트렌드, 그리고 로봇으로 대변되는 AGI까지 내용을 수록하였다.

또한, 다양한 생성형AI도구 27종의 사용법까지 기재하였다.

AI 대전환 시대. 자, 이제 AI를 마음껏 사용해보자.

<본 도서는 일부 내용에서 Gen AI의 도움을 받았습니다.>

저자 소개

조성민은 디지털 기술을 통해 기업의 현 상황을 혁신하는 것을 업으로 삼고 있다. 병역특례 개발자로 시작하여 다양한 산업의 대기업에서 디지털 / AI트랜스포메이션에 대한 다수의 성공경험과 실패경험을 가지고 있다.

디지털 트랜스포메이션, AI 트랜스포메이션 모두 '트랜스포메이션'에 방점이 있다고 생각한다.

주요 저서로는 <디지털 전환을 넘어 초격차 AI 전환으로>가 있다.

아내 강은영, 딸 조한나와 여행 다니는 것을 가장 좋아한다.

* 주요 이력

(현) 아모레퍼시픽 디지털Unit, Leader

(전) GS리테일 DCX추진실, 메타버스TF팀장

(전) 롯데쇼핑 미래전략팀 DT책임

(전) 현대오토에버 SW아키텍처팀 아키텍트

(전) SK커뮤니케이션즈 무선NATE실 모바일싸이월드 매니저

서강대학교 소프트웨어공학(석사)

1장

AI 대전환,
시작점에 서다

01
AI 트렌드

- 오늘날 기업에서의 AI의 중요성

현대 비즈니스 사회에서 인공 지능(AI)은 단순한 도구가 아니라 기업 전략과 운영의 근간을 재구성하는 혁신의 힘으로 부상하고 있다. 이러한 추세는 몇년전부터 딜로이트, 프라이스워터하우스쿠퍼스(PwC), BCG 등 기술 및 비즈니스 컨설팅 분야에서 개념적으로 예측되어 왔으며, 오래전부터 AI 분야의 눈부실 기술적 발전과 함께 심층적으로 탐구되어 왔다. AI 연구와 적용의 최전선에 있는 다양한 기관은 전 산업 분야에 걸쳐 AI의 영향을 설명하는 핵심 프레임워크와 사례 연구를 제공하고 있다.

AI는 뛰어난 분석력을 바탕으로 데이터 분석이 의사결정 프로세스를 혁신하는 방법을 보여준다. 다양한 분야에서 AI의 경제적 잠재력을 조명하고 있고, 비즈니스 성장과 효율성을 추진하는 데 있어서도 AI의 역할을 강조한다. BCG에서는 AI의 전략적 구현에 대한 독자적인 관점을 제시하며 AI 이니셔티브를 보다 광범위한 비즈니스 목표에 맞추는 것이 중요하다는 점을 강조한다.

OpenAI, Microsoft, AWS, Google이 주도하는 기술 발전은 이러한 AI 중심 비즈니스 혁신의 중추적인 역할을 한다. 고급 머신 러닝 모델에 대한 OpenAI의 획기적인 작업은 AI 기능의 미래를 엿볼 수 있다. Microsoft의 AI를 클라우드 컴퓨팅에 통합한 것은 AI가 기존 기술과 결합하여 확장할 수 있는 방법을 보여준다. AWS의 확장 가능한 AI 솔루션은 다양한 비즈니스에서 AI 기술을 이용할 수 있도록 하는 AI 기술의 대중화를 보여준다. 특히 데이터 분석 및 머신 러닝 영역에서 Google의 AI 혁신은 기업이 AI의 잠재력을 활용할 수 있는 강력한 도구를 제공한다. 삼성, LG CNS, SK텔레콤 사례에서 알 수 있듯이 산업별 AI 애플리케이션의 역할은 매우 중요하다. 삼성의 기술 분야에서의 AI 기반 접근 방식은 제품 혁신과 고객 경험에서 AI의 역할을 강조한다. 정보 기술 및 컨설팅 분야에 AI를 적용한 LG CNS의 사례는 서비스 제공 및 비즈니스 프로세스에 대한 AI의 혁신적 영향을 보여준다. SK텔레콤의 통신 분야 AI 활용 사례는 AI가 어떻게 운영 효율성을 높이고 소비자 참여를 강화할 수 있는지 보여준다.

또한, AI 트렌드와 전망에 대한 가트너의 광범위한 연구에서는 비즈니스에서 AI의 현재와 미래 환경에 대한 포괄적인 이해를 제공하고 있다. 다양한 공공 기관 및 연구 센터의 미래 전략 보고서를 살펴보면 AI가 주도하는 미래를 조망할 수 있다.

이 책은 비즈니스 실무자와 관리자가 비즈니스에서 AI 통합의 복잡성을 탐색하는 데 도움이 되는 필수 가이드 역할을 한다. 이 책은 AI 애플리케이션과 트렌드에 대한 자세한 방향을 제시할 뿐만 아니라 AI가 비즈니스 세계를 어떻게 변화시킬 것인지에 대한 미래 지향적인 관점을 제공한다. 이 책은 AI의 잠재력을 최대한 활용하기 위해 윤리적 고려 사항, 기술 개발, 조직적 준비 상태의 중요성을 강조하면서 AI 도입에 대한 전략적 접근의 필요성을 강조한다.
이 책에 담긴 인사이트와 지식은 비즈니스 리더와 관리자가 정보에 입각한 의사결정을 내리고 혁신을 추진하며 빠르게 진화하는 비즈니스 환경에서 경쟁 우위를 유지하는 데 큰 도움이 될 것이다.
이 책은 업계 리더와 연구 기관의 풍부한 리소스를 바탕으로 AI가 현대 비즈니스에 미치는 영향의 본질을 파악하는 것을 목표로 한다.

- 인공지능의 역사

인공지능의 개념은 고대 그리스부터 시작되었다. 기계가 인간처럼 생각하고 행동하는 아이디어는 오래 전 신화와 이야기에서도 찾아볼 수 있다. 그러나 이러한 아이디어는 과학과 기술이 발전하면서 점차 현실화되었다.

1950년대: 인공지능의 태동

1950년대에 앨런 튜링은 '튜링 테스트'를 제안하며 인공지능의 개념을 공식화했다. 이 테스트는 기계가 인간처럼 생각하는 능력을 측정하는 방법을 제시했다.

1960년대: 인공지능의 발전

1960년대에는 인공지능의 연구가 활발히 이루어졌다. 이 시기에는 인공지능을 구현하기 위한 프로그래밍 언어인 LISP가 개발되었고, '엘리자'라는 초기 자연어 처리 프로그램이 개발되었다. 이 프로그램은 인간과 대화를 나눌 수 있는 초기의 챗봇으로 볼 수 있다.

1970년대: 인공지능의 겨울

1970년대는 인공지능의 '겨울'이라고 불리는 시기였다. 이 시기에는 인공지능에 대한 기대감이 너무 높아져서 실제 결과가 기대치에 미치지 못하였다. 이로 인해 연구 자금이 줄어들었지만, 이 시기에도 인공지능의 발전은 계속되었다.

1980년대: 전문가 시스템의 등장

1980년대에는 전문가 시스템이 등장하였다. 전문가 시스템은 특정 분야의 전문 지식을 기반으로 질문에 답변을 제공하는 시스템이다. 이 시스템의 등장은 인공지능의 새로운 가능성을 보여주었다.

1990년대: 기계 학습의 발전

1990년대에는 기계 학습, 특히 신경망에 대한 연구가 활발히 진행되었다. 이는 현재의 딥 러닝의 기초를 만들었다.

2000년대: 인공지능의 폭발적 발전

2000년대에 들어서 인공지능은 폭발적으로 발전하였다. 구글, 아마존, 페이스북과 같은 기업들이 인공지능 기술을 활용한 서비스를 선보이기 시작했다. 또한 이 시기에는 알파고와 같은 인공지능이 인간을 능가하는 능력을 보여주며 인공지능의 가능성을 입증하였다.

현재와 미래

현재는 인공지능이 우리의 일상생활에 깊숙이 들어와 있다. 스마트폰, 자동차, 가전제품 등 다양한 분야에서 인공지능 기술이 활용되고 있다. 미래에는 어떤 형태의 인공지능이 등장할지 기대하며, 그 발전을 지켜보는 것이 중요하다.

인공지능의 발전사는 인류의 역사와 얽혀 있다. 그리고 그 발전은 인간의 지적 능력을 넘어서려는 노력의 일환이었다. 우리는 이제 막 그 가능성을 시작한 단계에 와 있다.

- 인공지능 트렌드

딥러닝과 신경망의 발전

딥러닝은 인공지능의 주요한 트렌드 중 하나이다. 딥러닝은 인공 신경망을 기반으로 한 기계 학습 방법론으로, 다층 구조의 신경망을 통해 복잡한 패턴 인식과 예측 작업을 수행할 수 있다. 딥러닝은 이미지 인식, 음성 인식, 자연어 처리 등 다양한 분야에서 큰 성과를 이끌어내고 있다. 특히 GPT, BERT, ResNet, Transformer 등의 딥러닝 모델이 주목을 받고 있다.

자연어 처리의 발전과 자동화 자연어 처리(Natural Language Processing, NLP)는 인공지능이 인간의 언어를 이해하고 생성하는 기술이다. 최근에는 자연어 처리 기술이 크게 발전하여 인공지능은 사람처럼 자연스럽게 대화하고 문서를 이해할 수 있게 되었다. 트랜스포머(Transformer) 모델을 기반으로 한 GPT-3(Generative Pre-trained Transformer 3)과 같은 모델은 대화나 문장 생성 등에서 높은 수준의 자연어 이해와 생성 능력을 보여주고 있다.

강화학습과 자율주행 강화학습(Reinforcement Learning, RL)은 인공지능이 환경과 상호작용하며 최적의 행동을 학습하는 방법론이다. 강화학습은 게임, 로봇공학, 자율주행 등 다양한 분야에서 활용되고 있다. 특히 자율주행 자동차 분야에서는 강화학습을 통해 주행 판단, 충돌 회피, 교통 신호 인식 등의 기술이 개발되고 있다.

생성 모델과 예술적 창작 생성 모델은 인공지능이 새로운 콘텐츠를 생성하는 기술이다. 예를 들어, GAN(Generative Adversarial Network)은 실제같은 이미지를 생성하는 데에 사용된다. 최근에는 인공지능이 그림, 음악, 문학 작품 등의 예술적 창작에도 활용되고 있다. 이러한 생성 모델을 통해 새로운 창작물의 영감을 얻을 수 있으며, 예술과 기술의 융합 영역에서 높은 관심을 받고 있다.

윤리적 고려와 투명성

인공지능의 발전과 함께 윤리적 고려가 더욱 중요해지고 있다. 인공지능의 결정에는 편향성이 없어야 하며, 그 과정이 투명해야 한다. 특히 AI 모델의 훈련 데이터나 알고리즘의 결정 과정에 편향성이나 불공정한 요소가 포함되지 않도록 주의해야 한다. 또한 인공지능의 해석 가능성과 투명성에 대한 연구도 활발히 진행되고 있다.

자율적 학습과 연속적 학습 자율적 학습(Self-Supervised Learning)은 인공지능이 레이블이 달린 데이터 없이 스스로 학습하는 방법이다. 이를 통해 인공지능은 대량의 비교적 저렴한 비감독 학습 데이터로부터 지식을 추출하고, 이를 다른 작업에 적용할 수 있다. 연속적 학습(Continual Learning)은 새로운 데이터가 주기적으로 유입되는 상황에서 인공지능이 지속적으로 학습하는 방법을 말한다. 이를 통해 인공지능은 새로운 지식을 효과적으로 습득하고 이전에 학습한 내용을 잊지 않고 유지할 수 있다.

인공지능과 로봇공학의 융합 인공지능과 로봇공학의 융합은 로봇의 지능화와 자동화를 이끌어내고 있다. 로봇은 인공지능 기술을 활용하여 환경을 인식하고, 사람과 상호작용하며, 자율적으로 움직일 수 있다. 이를 통해 로봇은 보다 복잡한 작업을 수행할 수 있게 되었고, 산

업 현장부터 보건의료, 서비스 분야까지 다양한 분야에서 활용되고 있다.

자연어 처리의 발전 최근 인공지능의 중요한 트렌드 중 하나는 자연어 처리(Natural Language Processing, NLP)의 발전이다. NLP는 컴퓨터가 인간의 언어를 이해하고 생성하는 기술을 말한다. NLP의 발전 덕분에 인공지능은 이제 사람처럼 자연스럽게 대화를 나눌 수 있다. 특히 트랜스포머(Transformer) 모델을 기반으로 한 BERT, GPT 등의 모델은 이러한 발전을 이끌고 있다.

강화학습의 부상

강화학습(Reinforcement Learning, RL)은 인공지능이 환경과 상호작용하며 최적의 행동을 학습하는 방법론이다. 강화학습은 게임, 로봇공학, 자율주행 등 다양한 분야에서 활용되고 있다. 특히 알파고는 강화학습의 성공적인 사례로 잘 알려져 있다.

인공지능과 데이터 사이언스의 융합 인공지능과 데이터 사이언스는 점점 더 밀접하게 연관되고 있다. 인공지능 알고리즘은

대량의 데이터를 필요로 하는데, 이러한 데이터를 수집, 처리, 분석하는 과정에서 데이터 사이언스의 기법이 적극적으로 활용되고 있다. 또한, 인공지능은 데이터 분석을 자동화하고, 분석 결과를 예측하는 데에도 활용되고 있다.

인공지능과 빅데이터

인공지능의 발전은 빅데이터와 밀접하게 연관되어 있다. 빅데이터는 인공지능이 학습할 수 있는 매우 큰 규모의 데이터를 말한다. 이런 빅데이터의 활용 덕분에 인공지능은 사람의 패턴을 학습하거나, 복잡한 문제를 해결하는 데에 활용될 수 있다.

인공지능과 클라우드 컴퓨팅

클라우드 컴퓨팅은 인공지능의 학습과 연산을 위한 플랫폼을 제공한다. 클라우드 상에서 대량의 데이터를 저장하고 처리할 수 있으며, 필요에 따라 컴퓨팅 자원을 늘리거나 줄일 수 있다. 이런 유연성 덕분에 인공지능의 학습과 연산이 훨씬 더 효율적으로 이루어질 수 있다.

이러한 트렌드는 인공지능의 발전 방향을 이끌고 있으며, 더욱 발전된 기술과 응용 분야를 기대할 수 있다. 지속적인 연구와 혁신을 통해 인공지능은 우리의 일상과 산업, 사회의 모든 영역에서 더 큰 변화를 가져올 것으로 기대된다.

- 머신 러닝의 출현

머신 러닝은 인공지능의 한 분야로, 컴퓨터가 학습을 통해 성능을 향상시키는 알고리즘과 방법론을 연구하는 분야이다. 머신 러닝의 출현은 1950년대부터 시작되었으며, 그 이후로 지속적인 발전을 거쳐 현재의 형태를 갖추게 되었다.

머신 러닝의 초기 머신 러닝의 초기 개념은 1950년대에 등장했다. 이 시기에는 퍼셉트론이라는 단순한 인공 신경망 모델이 제안되었으며, 이를 통해 기계가 학습하는 개념이 처음으로 소개되었다. 퍼셉트론은 입력과 가중치를 곱한 값들을 합산하여, 그 값이 임계치를 넘으면 활성화되는 아주 기본적인 모델이다.

기호주의와 머신 러닝 1960년대와 1970년대에는 기호주의(Symbolic Learning)라는 접근법이 주를 이루었다. 이 접근법은 논리적인 규칙을 사용하여 지식을 표현하고, 이를 기반으로 학습하려는 시도였다. 이 시기에 개발된 대표적인 알고리즘으로는 결정 트리 학습이 있다.

머신 러닝의 부상 1980년대에는 머신 러닝이 인공지능 연구의 주요한 분야로 부상하게 되었다. 이 시기에는 인공 신경망과 같은 복잡한 모델이 개발되었으며, 이를 통해 머신 러닝은 이미지 인식, 음성 인식 등 다양한 분야에서 활용되기 시작했다.

통계적 머신 러닝 1990년대에는 통계적 접근법이 머신 러닝에 도입되었다. 이 접근법은 데이터로부터 모델을 학습하고, 이를 기반으로 미래의 데이터를 예측하는 방법론을 제공했다. 이 시기에 개발된 대표적인 알고리즘으로는 서포트 벡터 머신(SVM)과 나이브 베이즈 분류기가 있다.

딥러닝의 등장 2000년대에 들어서 인공 신경망은 더욱 복잡한 구조를 갖추게 되었고, 이를 통해 딥러닝이라는 새로운 분야가 등장하게 되었다. 딥러닝은 신경망의 여러 계층을 통해 복잡한 패턴을 학습하며, 이를 통해 머신 러닝은 이미지 인식, 음성 인식, 자연어 처리 등 다양한 분야에서 놀라운 성과를 이뤄냈다.

현재의 머신 러닝 현재 머신 러닝은 다양한 분야에서 활용되고 있다. 또한, 강화학습과 같은 새로운 학습 방법론도 개발되고 있으며, 이를 통해 머신 러닝은 보다 복잡한 문제를 해결하는데 사용되고 있다.

머신 러닝은 인공지능의 주요한 분야로, 그 발전은 우리의 일상생활과 산업, 사회의 모든 부분에 영향을 미치고 있다. 지속적인 연구와 발전을 통해 머신 러닝은 앞으로도 우리의 삶을 더욱 풍요롭게 만들어 나갈 것이다.

- 딥러닝의 혁신

인공지능에서 딥 러닝은 획기적인 혁신으로 등장하여 복잡한 문제에 대한 접근 방식과 데이터 기반 의사 결정을 근본적으로 변화시켰다. 이는 의료부터 자율주행차까지 다양한 산업에 걸쳐 영향을 미치며 기계가 무엇을 달성할 수 있는지 재정의했다. 딥러닝의 혁신을 자세하게 이해하려면 딥러닝의 기초, 기능, 적용, 과제 및 미래 전망을 자세히 살펴봐야 한다.

1. 딥러닝의 기본개념

딥러닝은 동물의 뇌를 구성하는 생물학적 신경망에서 영감을 받은 인공신경망(ANN)을 기반으로 한다. 딥러닝에서 '딥'은 데이터가 변환되는 레이어 수를 나타낸다. 초기 신경망은 입력과 출력 사이에 레이어가 거의 없었다. 딥 러닝의 혁신은 심층 신경망(DNN)으로 알려진 다층 신경망을 구축하고 훈련하는 능력에 있다.

빅데이터의 등장과 컴퓨팅 능력의 발전으로 딥러닝의 발전이 가속화되었다. 대규모 데이터 세트와 강력한 GPU(그래픽 처리 장치)의 가용성이 매우 중요했다. 이러한 리소스를 통해 딥 러닝 알고리즘은 방대한 양의 데이터로부터 학습하여 이전에는 더 얕은 알고리즘으로는 달성할 수 없었던 복잡한 패턴을 식별할 수 있다.

2. 딥러닝의 주요 기능

딥 러닝 알고리즘은 일반적으로 작업별 프로그래밍 없이 예제를 고려하여 작업을 수행하는 방법을 학습한다. 예를 들어, 이미지 인식에서는 "고양이" 또는 "고양이 없음"으로 수동으로 라벨이 지정된 예시 이미지를 분석하고 이 분석을 사용하여 다른 이미지에서 고양이를 식별함으로써 고양이가 포함된 이미지를 식별하는 방법을 학습할 수 있다.

딥러닝의 핵심 기능은 특징 추출이다. 기존 기계 학습에서는 전문가가 분석을 위해 관련 기능을 식별해야 한다. 이와 대조적으로 딥 러닝은 분류 또는 예측에 필요한 표현을 자동으로 검색하므로 빅 데이터 애플리케이션에 매우 효율적이다.

3. 산업 전반에 걸친 애플리케이션

딥 러닝은 다양한 분야에 적용되어 놀라운 성공을 거두었다.

헬스케어: 진단 목적을 위해 딥 러닝 알고리즘은 전문가와 비슷하거나 심지어 이를 능가하는 수준의 정밀도로 의료 이미지를 처리하고 분석한다.

자율주행차: 자율주행차의 인식 시스템에 딥러닝이 사용되어 교통 표지판, 보행자, 기타 차량을 인식할 수 있다.

자연어 처리(NLP): 음성 인식 비서 및 실시간 번역 서비스와 같은 기술은 딥 러닝에 크게 의존한다.

금융: 사기 탐지 및 알고리즘 거래를 위해 딥 러닝 모델은 대량의 금융 데이터 내의 패턴을 분석한다.

4. 과제와 한계

성공에도 불구하고 딥 러닝은 어려움에 직면해 있다. 한 가지 중요한 문제는 의사 결정 프로세스가 투명하지 않거나 해석 가능하지 않은 딥 러닝 모델의 "블랙박스" 특성이다. 이러한 불투명성은 특히 모델 결정의 기초를 이해하는 것이 중요한 의료 또는 금융과 같은 분야에서 문제가 될 수 있다.

또 다른 과제는 대량의 레이블이 지정된 데이터가 필요하다는 것이다. 딥 러닝의 성능은 훈련 데이터의 양과 품질에 크게 좌우되는데, 이는 데이터가 부족하거나 라벨을 지정하기 어려운 영역에서 제한이 될 수 있다.

또한 딥 러닝 모델은 계산 집약적이며 상당한 리소스가 필요하므로 높은 에너지 소비와 환경 문제로 이어질 수 있다.

5. 딥 러닝의 미래

딥 러닝의 미래는 본질적으로 지속적인 연구 및 혁신과 연결되어 있다. 여기에는 보다 효율적이고 투명한 모델 개발, 방대한 양의 데이터에 대한 의존도를 줄이는 기술, 환경에 미치는 영향을 완화하는 방법이 포함된다.

모델이 레이블이 지정되지 않은 데이터로부터 학습하는 비지도 및 준지도 학습 기술의 발전은 특히 유망한다. 이를 통해 대규모 레이블이 지정된 데이터 세트의 필요성이 크게 줄어들 수 있다.

더욱이, 딥 러닝 모델을 더욱 해석 가능하고 설명 가능하게 만드는 데 대한 관심이 커지고 있다. XAI(Explainable AI)로 알려진 이 연구 분야는 성능이 좋을 뿐만 아니라 의사 결정 프로세스를 인간이 이해할 수 있는 용어로 설명할 수 있는 모델을 개발하는 데 중점을 둔다.

결론적으로, 딥 러닝은 머신 러닝 기능의 획기적인 도약을 의미하며 다양한 영역에 걸쳐 심오한 가능성을 제공한다. 일련의 과제가 있지만 이 분야의 지속적인 연구 및 개발은 가능한 것의 한계를 계속해서 확장하여 딥 러닝을 현대 AI 혁신의 초석으로 만들고 있다.

- 비즈니스와 인공지능

인공지능에서 인공 지능(AI)을 비즈니스에 적용하려면 고급 컴퓨팅 기술을 활용하여 비즈니스 운영, 의사 결정 및 고객 참여의 다양한 측면을 향상시키는 것이 필요하다. AI를 비즈니스 관행에 통합하는 것은 전략적 계획, 기술 투자, 조직 내 문화적 변화가 필요한 다면적인 프로세스이다. 아래에서는 AI를 비즈니스에 적용하는 방법론과 구체적인 사례 및 사례 연구를 살펴보겠다.

1. AI와 AI의 비즈니스 영향 이해

AI를 구현하기 전에 기업이 AI에 수반되는 것이 무엇인지 이해하는 것이 중요하다. AI에는 머신러닝(ML), 자연어 처리(NLP), 로봇공학, 컴퓨터 비전과 같은 기술이 포함된다. 이들 각각은 다양한 비즈니스 프로세스에 적용될 수 있다.

2. 비즈니스 요구 사항 및 AI 기회 식별

AI를 적용하는 첫 번째 단계는 기업 내에서 AI 기술의 혜택을 누릴 수 있는 영역을 식별하는 것이다. 여기에는 고객 서비스, 공급망 관리, 데이터 분석, 마케팅 또는 인적 자원과 같은 영역이 포함될 수 있다. 핵심은 AI가 상당한 개선을 제공할 수 있는 문제점이나 비효율성을 식별하는 것이다.

3. 데이터 수집 및 관리

AI 시스템은 학습하고 의사결정을 내리기 위해 데이터가 필요하다. 기업은 강력한 데이터 수집 및 관리 시스템을 구축해야 한다. 여기에는 특히 개인 정보 보호 및 윤리적 문제를 고려하여 데이터 품질, 관련성 보장, 데이터 거버넌스 정책 수립이 포함된다.

4. 올바른 AI 기술 선택

비즈니스 요구에 따라 다양한 AI 기술을 적용할 수 있다. 예를 들어 NLP는 고객 서비스 챗봇에 적용될 수 있고 ML은 영업 및 마케팅의 예측 분석에 사용될 수 있다.

5. AI 솔루션 개발 또는 도입

기업은 AI 솔루션을 내부적으로 개발하거나 외부 공급업체로부터 구매할 수 있다. 사내 개발에는 데이터 과학자와 AI 전문가로 구성된 숙련된 팀이 필요하다. 또는 많은 기업이 AI를 서비스로 제공하는 IBM, Google, Microsoft 또는 Amazon과 같은 회사에서 제공하는 AI 솔루션을 선택한다.

6. AI를 비즈니스 프로세스에 통합

AI를 기존 비즈니스 프로세스에 통합하는 것은 어려울 수 있다. 워크플로의 변화, 직원 교육, 때로는 데이터 기반 접근 방식으로의 문화적 변화가 필요한 경우가 많다. 성공적인 통합에는 지속적인 평가와 적응도 필요하다.

7. 모니터링 및 평가

일단 구현되면 AI 시스템을 지속적으로 모니터링하고 평가하여 원하는 결과를 제공하는지 확인해야 한다. 여기에는 성과 지표를 추적하는 것뿐만 아니라 AI 시스템이 초래할 수 있는 잠재적인 윤리적 문제에 주의를 기울이는 것도 포함된다.

비즈니스 사례

고객 서비스 및 챗봇: 많은 기업이 고객 서비스를 향상하기 위해 AI 기반 챗봇을 채택했다. 예를 들어 세포라(Sephora)의 챗봇은 고객이 온라인에서 제품을 선택할 수 있도록 지원하고 고객 선호도에 따라 개인화된 추천을 제공한다.

공급망 최적화: AI는 재고 수요를 예측하고 배송 및 물류를 최적화하며 공급망 중단을 관리하는 데 사용된다. 한 가지 예는 Amazon이 AI를 사용하여 재고 관리 및 배송 시스템을 최적화하여 효율성을 대폭 향상시키는 방법이다.

영업 및 마케팅 분석: Netflix 및 Spotify와 같은 회사는 AI를 사용하여 고객 선호도와 시청/청취 습관을 분석하여 맞춤 추천을 제공하고 사용자 경험과 참여도를 크게 향상한다.

인적 자원: 후보자 적합성을 평가하기 위한 이력서 심사 및 예측 분석과 같은 작업을 위해 HR에 AI가 적용된다. 예를 들어 LinkedIn의 AI 알고리즘은 구직자를 적절한 취업 기회와 연결하는 데 도움이 된다.

금융 서비스: 금융 분야에서는 사기 탐지, 위험 평가, 알고리즘 거래에 AI가 사용된다. JP Morgan Chase의 COIN 프로그램은 기계 학습을 사용하여 상업 대출 계약을 해석함으로써 수동 검토와 관련된 시간과 오류를 대폭 줄인다.

헬스케어: 헬스케어 분야의 AI 애플리케이션에는 진단 도구, 맞

춤형 의학, 환자 관리 시스템이 포함된다. IBM의 Watson Health는 AI가 질병을 진단하고 치료 계획을 추천하는 데 어떻게 도움이 될 수 있는지 보여준다.

결론적으로, 비즈니스에 AI를 적용하는 것은 도전적이며 지속적으로 확산되는 분야이며, 기업이 운영하고 고객과 소통하는 방식을 혁신할 수 있는 엄청난 잠재력을 가지고 있다. 기술 이해부터 구현에 이르기까지 비즈니스 목표 및 윤리적 고려 사항과의 연계를 보장하는 전략적 접근 방식이 필요하다. AI를 성공적으로 적용하면 상당한 경쟁 우위, 효율성 향상, 생산성 향상으로 이어질 수 있다.

- 의료와 인공지능

의료 분야에 인공지능(AI)을 적용하는 것은 의료 분야에서 가장 중요하고 혁신적인 방법 중 하나이다. 진단부터 치료 계획, 환자 치료에 이르기까지 의료 행위의 다양한 측면에 AI를 통합하는 것은 정확성, 효율성 및 결과를 개선하는 데 중요한 역할을 했다. 아래 내용에서는 의학에 AI를 적용하는 방법을 나열하고 몇 가지 주요 사례 연구를 열거했다.

1. 의학에서의 AI 방법

의학 분야의 AI는 다양한 기술과 기술을 포괄하며 각각 고유한 목적을 제공한다.

기계 학습(ML): ML 알고리즘은 명시적으로 프로그래밍하지 않고도 방대한 데이터세트에서 학습하고 예측이나 결정을 내린다. 의학에서 ML은 진단, 약물 발견, 맞춤형 치료, 환자 모니터링에 사용된다.

자연어 처리(NLP): NLP는 컴퓨터가 인간의 언어를 이해하고 해석하도록 도와준다. 의료 분야에서 NLP는 의료 기록, 임상 기록, 연구 논문에서 의미 있는 정보를 추출하는 데 사용된다.

컴퓨터 비전: AI 기반 이미지 분석은 X선, MRI, CT 스캔과 같은 의료 이미지에서 이상 현상을 감지하기 위해 방사선학과 병리학에서 광범위하게 사용된다.

로봇공학: AI 기반 로봇은 수술을 지원하여 정밀하고 최소 침습적 시술을 가능하게 하며 재활 및 보조 기술을 지원한다.

2. 진단 애플리케이션

이미지 분석: 방사선학은 AI의 영향을 크게 받는 분야 중 하나이다. 알고리즘은 의료 이미지를 분석하여 암, 골절, 신경 장애 등의 상태를 감지한다. 예를 들어, Google Health의 DeepMind는 유방 조영술에서 암을 발견하는 데 있어서 방사선 전문의보

다 뛰어난 유방암 분석용 AI 시스템을 개발했다.

예측 진단: AI 모델은 환자 데이터와 위험 요인을 기반으로 질병을 예측한다. 예를 들어, IBM Watson Health는 종양학자가 암 종양을 식별하고 치료법을 권장하는 데 도움이 되는 도구를 제공한다.

3. 치료 및 관리 계획

맞춤형 의학: AI 알고리즘은 유전 정보를 포함한 데이터를 분석하여 개별 환자에게 맞는 치료 계획을 수립한다. 이 접근법은 특히 종양학 분야에서 치료의 효능을 향상시킨다.

약물 발견 및 개발: AI는 다양한 약물이 신체의 표적과 어떻게 상호 작용하는지 예측하여 약물 발견 과정을 가속화한다. Atomwise와 같은 회사는 분자 모델링에 AI를 사용하여 잠재적인 약물 후보를 식별한다.

4. 환자 모니터링 및 관리

웨어러블 기술: AI 기반 웨어러블은 생체 신호를 모니터링하고 이상을 감지한다. 예를 들어 Apple Watch는 AI 알고리즘을 사용하여 불규칙한 심장 박동을 감지한다.

가상 건강 도우미: AI 기반 챗봇과 가상 도우미는 환자 지원, 약 복용 알림, 건강 조언을 제공한다. ADA Health의 AI 증상 검사기는 사용자가 증상을 이해하고 적절한 치료를 받을 수 있도록

도와준다.

5. 임상 의사결정 지원 시스템(CDSS)

CDSS는 AI를 사용하여 의료 전문가가 의사 결정을 내릴 수 있도록 지원한다. 이러한 시스템은 환자 데이터와 임상 지식을 분석하여 권장 사항을 제공한다. 선도적인 의료 소프트웨어 회사인 Epic Systems는 EHR(전자 건강 기록) 시스템에 AI를 통합하여 의사 결정 지원을 제공하고 있다.

6. 연구 및 역학

유전체학: AI 도구는 유전 데이터를 분석하여 유전체학 및 맞춤형 의학 연구에 기여한다. 예를 들어 Deep Genomics는 유전 질환의 약물 발견에 AI를 사용한다.

역학 및 공중 보건: AI 모델은 질병 확산을 추적하고, 발생을 예측하며, 공중 보건 정책을 알려준다. 코로나19 팬데믹 기간 동안 AI는 바이러스 확산을 모델링하고 개입 전략을 알리는 데 사용되었다. 이러한 잠재력에도 불구하고 의학 분야의 AI는 데이터 개인 정보 보호 문제, 주석이 달린 대규모 데이터 세트의 필요성, 알고리즘 편향의 위험 등의 문제에 직면해 있다. AI의 윤리적 사용, 투명성 및 해석 가능성을 보장하는 것은 특히 환자의 건강과 안전이 위태로운 경우에 가장 중요하다.

의료 분야에서 AI의 적용은 광범위하고 빠르게 확장되어 환자 치료를 강화하고 진단을 개선하며 의료 연구를 간소화할 수 있는 전례 없는 기회를 제공한다. 특히 윤리적 고려 사항과 데이터 관리와 관련된 과제는 여전히 남아 있지만, 의료 결과와 의료 시스템의 효율성을 향상시킬 수 있는 의학 분야의 AI의 잠재력은 엄청나다. 기술이 발전함에 따라 의학에서 AI의 역할은 더욱 중추적이 되어 의료 제공 및 의학 연구의 새로운 시대를 열게 될 것이다.

- 교육과 인공지능

교육 분야의 인공 지능(AI)은 역동적이고 빠르게 발전하는 분야이며, 교육 콘텐츠를 전달하고, 개인화하고, 경험을 혁신하는 방식을 송두리째 뒤집는 변화가 올 것이다. AI를 다양한 교육 프로세스에 통합하면 혁신적인 교수법이 탄생하고, 학생 학습 경험이 향상되며, 행정 업무가 간소화된다. 아래에서는 교육에 AI를 적용하는 방법을 자세히 살펴보고 몇 가지 주요 사례 연구와 인사이트를 제공한다.

1. 맞춤형 학습 경험

AI는 학생의 개별 요구에 맞게 교육 자료를 조정하여 맞춤형 학습을 촉진한다. 여기에는 다음이 포함된다.

적응형 학습 플랫폼: AI 시스템은 학생의 현재 지식 수준, 학습 속도, 선호하는 학습 스타일을 평가한 다음 그에 따라 커리큘럼을 조정할 수 있다. 예를 들어 콴다 같은 플랫폼은 수학과 과학과 같은 과목에서 적응형 학습 경험을 제공한다.

AI 교사 및 보조자: AI 기반 교육 시스템은 학생들이 어려움을 겪고 있는 분야에서 실시간 피드백과 맞춤형 교육을 제공하여 도움을 줄 수 있다. Carnegie Learning과 Duolingo는 AI 교사가 언어 학습 및 기타 과목을 지원하는 예이다.

2. 학생 참여 및 상호 작용 강화

게임화 및 대화형 학습: AI 기반 교육 게임 및 대화형 모듈은 학생 참여를 크게 향상할 수 있다. Cognii 및 Century Tech와 같은 도구는 AI를 사용하여 학생의 반응과 결정에 적응하는 대화형의 매력적인 학습 경험을 만든다.

가상 및 증강 현실(VR/AR): VR/AR 기술과 결합된 AI는 몰입형 교육 환경을 조성하여 복잡한 주제에 대한 접근성을 높일 수 있다. Google의 Expeditions는 AR을 사용하여 교육 콘텐츠에 생명을 불어넣는 방법을 보여주는 예이다.

3. 관리 작업 자동화

채점 및 평가: AI는 객관식 및 빈칸 채우기 문제의 채점을 자동화할 수 있다. 더욱 발전된 AI 시스템이 주관식과 에세이를 채점하는 데 도움을 주기 시작했다. Turnitin의 AI 채점 도구가 그러한 예 중 하나이다.

입학 및 등록 관리: AI는 지원서를 분류하고 사전 결정된 기준에 따라 가장 적합한 후보자를 식별함으로써 입학 절차를 간소화하는 데 도움을 줄 수 있다.

4. 데이터 기반 통찰력 및 학습 분석

학습 분석: AI 기반 분석은 교육자에게 학생 성과, 학습 패턴, 학습 장애물에 대한 통찰력을 제공할 수 있다. IBM Watson Analytics와 같은 시스템은 교육 데이터를 분석하여 교육 전략과 학생 성과를 향상시키는 도구를 제공한다.

예측 분석: AI는 학생 중퇴를 예측하거나 위험에 처한 학생을 식별하여 적시에 개입할 수 있다. 예를 들어 조지아 주립대학교(Georgia State University)는 AI 조언 시스템을 사용하여 위험에 처한 학생들을 식별하고 지원함으로써 졸업률을 크게 향상시켰다.

5. 콘텐츠 제작 및 커리큘럼 개발

자동화된 콘텐츠 생성: AI는 교육 콘텐츠 생성 및 업데이트를 지원할 수 있다. Content Technologies, Inc.와 같은 회사는 AI를 사용하여 맞춤형 교과서를 제작한다.

커리큘럼 개인화: AI 알고리즘은 커리큘럼 효과를 분석하고 다양한 학습 그룹에 대한 개선 또는 개인화를 제안할 수 있다.

6. 교사 및 교육자 지원

전문성 개발: 교실 세션에 대한 AI 기반 분석을 통해 교사에게 교육 스타일 및 학생 참여 전략에 대한 피드백을 제공할 수 있다.

AI조교: AI 조교는 반복적인 작업을 처리할 수 있으므로 교사는 교실 상호 작용과 학생 멘토링에 더 집중할 수 있다.

7. 언어 학습 및 향상

언어 학습 앱: Duolingo와 같은 앱은 AI를 사용하여 학습자의 숙련도 수준과 학습 스타일에 맞춰 맞춤화된 언어 학습 경험을

제공한다.

음성 인식 및 언어 처리: 교육용 소프트웨어의 음성 인식과 같은 도구는 언어 학습을 돕고 학습 장애가 있는 학생들을 도울 수 있다.

8. 과제 및 윤리적 고려사항

잠재적인 이점에도 불구하고 교육에 AI를 적용하는 데에는 어려움이 따른다. 여기에는 데이터 개인 정보 보호, 디지털 격차(AI 지원 교육 도구에 대한 접근), AI 알고리즘의 잠재적 편견, AI 기반 교육과 인간 상호 작용의 균형을 유지해야 하는 필요성에 대한 우려가 포함된다.

교육에 AI를 적용하면 보다 개인화되고 효율적이며 접근 가능한 학습 환경이 보장된다. AI 교사부터 데이터 기반 통찰력에 이르기까지 교육과 학습을 모두 향상할 수 있는 잠재력은 엄청나다. AI 기술이 계속 발전함에 따라 교육 시스템으로의 통합은 윤리적 의미, 형평성, 인간 교사의 보완적 역할을 신중하게 고려하여 접근해야 한다.

- 예술과 인공지능

인공지능(AI)이 예술 분야에 통합되는 것은 기술과 창의적 표현의 획기적인 융합을 의미한다. 이러한 융합은 예술의 경계를 재정의하고 창작, 해석 및 상호 작용을 위한 새로운 방법론을 제공한다. 아래에서는 다양한 방법, 주목할 만한 사례, 이 매혹적인 교차점의 의미를 포함하여 AI가 예술에 어떻게 적용되는지 자세히 살펴본다.

AI를 예술에 적용하는 방법

1. 생성 예술:

AI 알고리즘, 특히 GAN(Generative Adversarial Networks)은 시각 예술을 만드는 데 사용된다. 이러한 네트워크는 이미지를 생성하는 생성기와 이를 평가하는 판별기의 두 부분으로 구성된다. 이 과정을 통해 복잡하고 때로는 놀랍고 미적으로 만족스러운 예술 작품이 탄생하게 된다.

예시: 파리에 기반을 둔 미술 집단 Obvious의 작품 'Edmond de Belamy'는 GAN을 사용하여 제작되어 Christie 경매장에서 판매되었다.

2. 작곡의 AI:

AI 시스템은 음악의 패턴을 분석하여 새로운 곡을 작곡한다. 이러한 알고리즘은 기존 음악 스타일과 장르를 학습하여 독창적인 작곡을 생성할 수 있다.

예시: AIVA(Artificial Intelligence Virtual Artist)는 인간 오케스트라가 연주하는 클래식 음악 작품을 만든 AI 작곡가이다.

3. 인터랙티브 아트를 위한 AI:

AI는 관객의 행동이나 환경 변화에 반응하는 인터랙티브 예술

설치물을 만드는 데 사용된다. 여기에는 실시간 데이터 처리 및 렌더링이 포함된다.

예시: 인터랙티브 디지털 설치물인 팀랩의 '사랑스럽고 아름다운 세상'은 관객의 손길에 따라 변화한다.

4. AI를 통한 예술 향상:

아티스트는 AI를 창의력을 강화하는 도구로 사용하여 전통적인 예술 기법과 AI 생성 요소를 결합하여 하이브리드 작품을 만든다.

예시: 아티스트 Refik Anadol은 AI를 사용하여 대규모 데이터 세트를 처리하고 몰입형 데이터 기반 시각화를 만든다.

주목할 만한 사례 및 사례

1. DeepArt 및 스타일 전송:

AI가 적용된 DeepArt는 예술적 스타일의 신경 알고리즘을 사용하여 사진을 반 고흐, 피카소 등 유명 화가의 스타일을 모방한 예술 작품으로 변환한다.

이 스타일 전환 기술은 개인화된 예술 창작을 위한 새로운 길을 열었다.

2. Google의 DeepDream:

Google의 DeepDream 프로그램은 환각적이고 초현실적인 이미지를 생성한다. 컨볼루셔널 신경망을 사용하여 이미지의 패턴을 찾아 강화하고 종종 꿈과 같은 모습을 만들어낸다.

3. 영화 및 애니메이션의 AI:

AI 알고리즘을 사용하여 영화 속 장면을 애니메이션화 함으로써 기존 방식에 필요한 시간과 노력을 줄인다. AI는 대본 작성, 캐릭터 개발, 심지어 연출에도 사용될 수 있다.

예시: 단편 SF 영화인 Sunspring은 Benjamin이라는 AI가 대본을 썼으며, 시나리오 작성에서 AI의 잠재력을 보여주었다.

4. 시와 문학:

AI 알고리즘은 기존 문학을 학습하여 시와 산문을 쓰는 데 사용된다. 아직 초기 단계에 있지만 AI로 작성된 문헌은 창의성과 저자성에 대한 질문을 제기한다.

예시: '길'은 AI가 이미지와 문학 소스를 학습하여 만든 시집이다.

시사점 및 향후 방향

윤리적, 철학적 고려사항:

예술에 AI를 활용하는 것은 창의성의 본질과 인간 예술가의 역할에 대한 의문을 제기한다. 이는 예술의 저작성과 독창성에 대한 전통적인 개념에 도전한다.

예술품 보존 및 분석:

AI 도구는 미술품 보존 및 복원, 미술품 분석을 통해 잃어버린 작품을 찾아내거나 보존 필요성을 예측하는 데 사용된다. AI는 또한 패턴 인식을 통해 미술사와 스타일에 대한 통찰력을 제공할 수도 있다.

대중 참여 및 교육:

예술 분야의 AI는 예술에 대한 접근성과 상호 작용성을 높여 대중이 예술에 참여할 수 있는 새로운 방법을 제공할 수 있는 잠재력을 가지고 있다. 또한 예술 스타일과 역사를 설명하는 데 도움이 되는 교육 도구로도 사용된다.

향후 방향:

AI 기술이 발전함에 따라 예술 분야에서도 더욱 정교하고 미묘한 적용을 기대할 수 있다. 여기에는 보다 상호작용 적이고 몰입도가 높은 경험 뿐만 아니라 AI와 인간의 창의성을 완전히 통합하는 새로운 형태의 예술이 포함될 수 있다.

결론적으로, 예술에서 AI의 역할은 단지 창작 도구가 아니라 예술적 표현에 새로운 차원을 가져오는 협력자로서의 역할이다. 특히 윤리와 예술의 정의 영역에서 AI는 도전 과제를 제시하지만 예술 세계에서 혁신과 탐구를 위한 막대한 기회도 제공한다.

예술 분야에서 AI의 미래는 예술 그 자체만큼 예측할 수 없고 매력적일 것이다.

- 인공지능의 적용 분야

인공 지능(AI)은 거의 모든 분야에 침투하여 우리가 주변 세계와 상호 작용하는 방식에 혁명을 일으켰다. 의료부터 금융, 교통, 교육까지 AI의 적용 범위는 방대하고 다양하다. 이 챕터에서는 AI 적용의 다양한 영역을 탐구하여 이 기술이 다양한 산업을 어떻게 재편하고 있는지에 대한 예와 통찰력을 제공한다.

1. 보건 의료

의료 분야에서 AI는 환자 결과를 개선하고, 치료 프로세스를 간소화하며, 의학 연구를 강화하는 데 사용된다.

진단 도구: 특히 이미지 인식 분야의 AI 알고리즘은 의료 영상을 통해 질병을 진단하는 데 도움을 준다. 예를 들어 Google Health의 DeepMind는 방사선 전문의보다 뛰어난 유방암 분석 AI 시스템을 개발했다.

맞춤형 의학: 유전체학 및 환자 데이터 분석에 AI를 활용하면 맞춤형 치료 계획이 가능해진다.

약물 발견 및 개발: Atomwise와 같은 회사는 분자 모델링에 AI를 사용하여 잠재적인 약물 후보를 보다 효율적으로 식별한다.

2. 금융

금융 분야의 AI는 금융 관리, 투자 및 보안 방식을 혁신하고 있다.

알고리즘 거래: AI는 시장 데이터를 고속으로 분석하여 시장 상황에 따라 자동화된 거래 결정을 내린다.

사기 탐지: AI 시스템은 사기 활동을 나타내는 비정상적인 패턴을 식별하여 거래 보안을 강화한다.

개인 금융: Mint와 같은 앱은 AI를 사용하여 맞춤형 금융 조언과 예산 지원을 제공한다.

3. 교통

교통 분야는 효율성과 안전성 향상에 중요한 영향을 미친다.

자율주행차: Tesla 및 Waymo와 같은 회사는 자율주행차 기술에 AI를 사용하는 데 앞장서고 있다.

교통 관리: AI는 스마트 시티에서 교통 흐름 최적화, 혼잡 감소, 도로 안전 개선을 위해 사용된다.

4. 소매

소매업에서 AI는 쇼핑 경험을 개인화하고 공급망을 최적화하는 데 사용된다.

고객 추천 시스템: Amazon과 같은 플랫폼은 AI를 사용하여 사용자 기록을 기반으로 개인화된 제품 추천을 제공한다.

재고 관리: AI가 재고 수요를 예측하고 재입고 프로세스를 자동화한다.

5. 교육

AI는 학습을 개인화하고 행정 업무를 자동화하여 교육을 변화시키고 있다.

적응형 학습 플랫폼: DreamBox Learning과 같은 도구는 학생의 개별 학습 속도와 스타일에 맞춰 조정된다.

자동 채점: 학생 과제를 채점하는 데 AI 시스템이 점점 더 많이 사용되고 있어 교육자의 업무 부담이 줄어든다.

6. 제조

제조 분야의 AI는 효율성과 제품 품질을 향상시킨다.

예측 유지 관리: AI는 기계에 유지 관리가 필요할 시기를 예측하여 가동 중지 시간을 줄인다.

품질 관리: AI 시스템은 인간의 눈보다 더 정확하게 제품의 결함을 스캔한다.

7. 농업

AI는 농업에서 수확량을 늘리고 작물 건강을 모니터링하는 데 사용된다.

정밀 농업: AI 기반 드론과 센서가 작물 건강과 토양 상태를 분석하여 보다 정확한 농업 기술을 가능하게 한다.

자동 수확: 수확 과정을 자동화하기 위해 AI 기반 로봇이 개발되고 있다.

8. 오락

AI는 엔터테인먼트 산업, 특히 콘텐츠 제작 및 추천 분야를 변화시키고 있다.

콘텐츠 추천: Netflix와 Spotify는 AI를 사용하여 사용자의 선호도에 따라 영화와 음악을 추천한다.

게임 개발: AI는 비디오 게임에서 플레이어가 아닌 캐릭터의 행동과 절차적 콘텐츠 생성을 위해 사용된다.

9. 고객 서비스

AI 챗봇과 가상 비서가 고객 서비스에 혁명을 일으키고 있다.

챗봇: Zendesk와 같은 플랫폼은 AI를 사용하여 즉각적인 고객 서비스와 지원을 제공한다.

음성 도우미: Amazon의 Alexa 및 Apple의 Siri와 같은 장치는 AI를 사용하여 사용자 요청을 이해하고 응답한다.

10. 사이버 보안

사이버 보안에서 AI는 위협 탐지 및 대응에 필수적이다.

위협 감지: AI 시스템은 기존 방법보다 더 빠르게 사이버 위협을 식별하고 대응할 수 있다.

네트워크 보안: AI는 네트워크 트래픽을 모니터링하여 보안 위반을 나타낼 수 있는 이상 현상을 감지한다.

11. 예술과 디자인

AI는 창의적인 분야에도 진출하고 있다.

생성 예술: AI 알고리즘은 예술과 음악을 창조하여 창의성의 한계에 도전한다.

디자인 지원: AI 도구는 디자이너가 레이아웃, 색상, 글꼴을 제안하여 시각적 콘텐츠를 만드는 데 도움을 준다.

결론적으로, AI의 응용 프로그램은 다양한 분야와 산업에 걸쳐 광범위하고 혁신적이다. 이 기술은 업무를 자동화할 뿐만 아니라 새로운 비즈니스 수행 방식을 가능하게 하고, 인간의 역량을 강화하며, 혁신과 성장을 위한 미지의 길을 열어준다. AI가 계속해서 발전함에 따라 AI의 잠재적인 적용 범위가 확장되어 우리 삶과 업무의 다양한 측면과 더욱 얽힐 가능성이 높다.

02
Beyond AI.
인공일반지능(AGI)이란?

- AGI의 정의

인공 일반 지능(AGI)은 다양한 맥락에서 지식과 기술을 이해하고, 학습하고, 적용할 수 있는 기계를 만드는 데 중점을 둔 인공 지능(AI) 분야이다. 이는 특정 작업을 위해 설계된 좁은 의미의 AI와는 대조적이다.

AGI는 몇 가지 주요 특징을 포함한다.

일반적 인지 능력: 특정 작업에만 탁월한 협소 인공지능과 달리, AGI는 일반적으로 인간의 지능이 필요한 광범위한 작업을

수행할 수 있다. 여기에는 문제 해결, 추론, 계획, 다양한 영역에서의 학습이 포함된다.

적응력 및 학습: AGI 시스템은 경험을 통해 학습하고, 새로운 상황에 적응하며, 한 영역의 지식을 다른 영역에 적용할 수 있다. 또한 자신의 능력을 향상시키고 문제 해결을 위한 새로운 전략을 개발할 수 있다.

자연어 이해 및 처리: AGI는 이상적으로 인간처럼 자연스럽고 효과적으로 인간의 언어를 이해하고 해석하며 이에 반응해야 한다.

자율적 의사 결정: AGI는 인간의 개입 없이 학습 및 추론 능력을 바탕으로 독립적으로 의사 결정을 내릴 수 있어야 한다.

윤리적, 도덕적 추론: AGI는 복잡한 사회 환경에서 작동하기 때문에 윤리적, 도덕적 딜레마를 해결할 수 있는 능력이 중요하다.

의식과 자기 인식: 일부 이론에서는 AGI가 어떤 형태의 의식이나 자기 인식을 포함할 수 있다고 주장하지만, 이는 여전히 매우 추측적이고 논쟁의 여지가 있는 부분이다.

이전 학습: 한 영역에서 다른 영역으로 지식과 기술을 효율적으로 이전하는 능력은 AGI의 핵심적인 측면이다.

AGI는 아직 이론적인 수준에 머물러 있으며, 이를 달성할 수 있는지, 달성할 수 있다면 어떻게 실현할 수 있는지에 대한 상당한 논쟁과 연구가 진행 중이다. 현재의 AI 기술은 주로 특정 작업에는 뛰어나지만 AGI와 같은 범용 지능은 부족한 좁은 의미의 AI로 구성되어 있다.

AGI 개발에는 기술적, 계산적 문제 뿐만 아니라 윤리적, 철학적, 사회적 고려 사항도 포함된다. 고용, 개인정보 보호, 보안, 그리고 더 넓은 사회 구조에 대한 AGI의 영향에 대한 우려도 있다.

결론적으로, AGI는 광범위한 작업과 맥락에서 인간의 능력과 일치하거나 이를 능가하는 수준의 지능과 다재다능함을 목표로 하는 AI 연구의 근본적인 변화를 나타낸다. 이 목표가 실현된다면 기술 개발에 있어 중요한 이정표가 될 것이지만, 동시에 복잡하고 광범위한 과제를 안고 있다.

- AGI의 기능 및 응용분야

AGI의 가상 기능:

다재다능함과 적응력: AGI는 인간이 할 수 있는 모든 지적 작업을 학습하고 수행할 수 있는 능력을 갖추게 될 것이다. 체스, 언어 번역, 이미지 인식 등 특정 작업을 위해 설계된 현재의 AI와 달리, AGI는 다양한 유형의 작업을 원활하게 전환하며 학습

하고 적응할 수 있을 것이다.

고급 학습 및 문제 해결: 방대한 양의 학습 데이터가 필요한 현재의 AI 모델과 달리 인간처럼 제한된 데이터로 학습할 수 있게 된다. 이러한 학습은 단순히 정보를 암기하는 것이 아니라 개념을 이해하고 이를 새로운 방식으로 적용하여 복잡한 문제를 해결하는 것이다.

자연어 이해 및 생성: AGI는 단순히 텍스트를 처리하고 생성하는 것을 넘어 유창한 인간 언어처럼 뉘앙스, 문맥, 관용구, 감정을 파악하여 인간의 언어를 진정으로 이해하고 참여하게 될 것이다.

감성 및 사회 지능: AGI는 잠재적으로 감성 지능을 보유하여 인간의 감정과 사회적 신호를 이해하고 잠재적으로 자신만의 정서적 반응을 보일 수도 있다.

윤리적 및 도덕적 의사 결정: 고급 이해력을 고려할 때, AGI는 윤리적 영향을 고려한 의사결정을 내릴 수 있는 능력을 갖추게 될 것이며, 이는 현재 AI 시스템의 능력을 뛰어넘는 중요한 단계이다.

창의성과 혁신: AGI는 재능이 뛰어난 인간처럼 독창적인 아이디어, 예술, 음악, 심지어 과학 이론과 발명품까지 내놓으며 창의성을 발휘할 수 있을 것이다.

의식과 자기 인식: 논란의 여지가 있고 추측에 불과하지만, 일부 이론가들은 AGI가 궁극적으로 의식이나 자각의 형태를 발전시킬 수 있다고 주장한다.

AGI의 잠재적 응용 분야:

과학 연구: AGI는 인간 과학자보다 훨씬 빠르고 정확하게 가설을 세우고 테스트함으로써 물리학에서 의학에 이르기까지 다양한 분야의 연구를 획기적으로 가속화할 수 있다.

교육: AGI는 각 학생의 학습 스타일과 속도에 맞게 교육 방법을 조정할 수 있기 때문에 개인 맞춤형 학습이 혁신적으로 개선될 수 있다.

의료: AGI는 잠재적으로 인간 의사보다 더 정확하고 효율적으로 개인화된 의료 상담, 진단 및 치료 계획을 제공할 수 있다.

창조 산업: 예술, 음악, 문학 분야에서 AGI는 새로운 작품을 창작하거나 인간 예술가들과 협업하여 새로운 형태의 창의적 표현을 할 수 있다.

비즈니스 및 정부의 의사 결정: AGI는 의사결정 프로세스를 최적화하고, 복잡한 데이터 세트를 분석하고, 시장 동향을 예측하고, 정책 수립을 지원할 수 있다.

도전 과제와 윤리적 고려 사항:

안전과 통제: AGI가 인간의 가치에 부합하는 행동을 하고 인류

에 위협이 되지 않도록 하는 것은 중요한 과제이다.

윤리적 영향: 특히 의료, 법률, 거버넌스와 같은 민감한 영역에서 AGI의 결정은 광범위한 윤리적 영향을 미칠 수 있다.

경제 및 고용 영향: AGI의 출현은 현재의 많은 직업이 쓸모 없어지는 등 고용 시장에 상당한 혼란을 초래할 수 있다.

개인정보 보호 및 감시: AGI 시스템은 잠재적으로 대량 감시와 사생활 침해에 사용될 수 있다.

인공지능의 권리와 의식: AGI가 의식을 갖게 된다면 인공 개체의 권리와 윤리적 대우에 대한 심오한 의문이 제기될 것이다.

- AGI의 연구동향

현 인공 지능(AGI) 연구는 매우 역동적이고 다각적인 분야로, 다양한 접근 방식과 이론, 학문을 아우르고 있다. 2023년 12월 현재, 아직 AGI 시스템이 존재하지 않지만, 몇 가지 연구 동향이 이 목표를 향해 나아가고 있다.

1. 머신 러닝 및 딥 러닝 개선

확장 가능한 아키텍처: 연구자들은 큰 재설계나 재교육 없이도 광범위한 작업을 처리할 수 있는 보다 확장 가능하고 효율적인 신경망 아키텍처를 연구하고 있다.

제로 샷 학습: 이 트렌드는 인간의 학습 효율성과 유사하게 극소수의 예제로부터 학습할 수 있는 AI 시스템을 만드는 데 중점을 둔다.

전이 학습: 한 영역에서 학습한 지식과 기술을 새로운 영역에 적용할 수 있도록 AI의 능력을 향상시키는 것이다.

강화 학습: 시스템이 시행착오를 통해 최적의 행동을 학습하여 인간과 유사한 학습 과정을 시뮬레이션 할 수 있도록 하는 고급 강화 학습 기법이 연구되고 있다.

2. 인간과 유사한 추론 및 인지 아키텍처

심볼릭 AI 통합: 신경망(딥러닝)의 강점과 심볼릭 AI(사람이 읽을 수 있는 기호를 사용하여 개념과 관계를 표현)를 결합하여 보다 인간과 유사한 추론과 이해를 가능하게 한다.

인지 아키텍처: 인간의 인지 구조를 모방한 계산 모델을 개발하여 인간이 사고하고 정보를 처리하는 방식을 재현하는 것을 목표로 한다.

상식적 추론: 인간은 직관적으로 알고 있지만 AI가 모방하기 어려운 세상에 대한 '상식적인' 지식을 AI에 불어넣기 위한 노력을 진행한다.

3. 인간-AI 상호 작용 및 협업

자연어 이해: 단순한 언어 처리를 넘어 진정한 이해로 나아가 인간과 AI 간의 보다 자연스럽고 효과적인 커뮤니케이션을 가능하게 한다.

감성 지능: 인간의 감정을 감지하고 이에 적절히 대응하는 방법을 연구하여 공감적 상호 작용에 참여하는 AI의 능력을 향상시킨다.

협업 AI: 인간과 함께 작업할 수 있는 시스템을 개발하고, 인간의 입력을 통해 학습하며, 과학 연구부터 예술적 노력에 이르기까지 다양한 작업에 지원을 제공한다.

4. 윤리적, 도덕적, 사회적 영향

윤리적 AI 프레임워크: AI 개발이 윤리적 원칙과 사회적 가치에 부합하도록 가이드라인과 프레임워크를 수립한다.

편견과 공정성: AI 시스템의 편향성을 해결하고 공정하고 공평한 AI 솔루션을 위해 노력한다.

투명성 및 설명 가능성: 신뢰와 윤리적 의사결정을 위한 핵심 요건인 AI 결정의 해석 가능성을 개선한다.

5. 생물학적으로 영감을 받은 AI

뉴로모픽 컴퓨팅: 인간 두뇌의 구조와 기능에서 영감을 얻은 AI

시스템을 만들어 더 효율적이고 적응력 있는 AI를 구현한다.

두뇌 프로세스 시뮬레이션: 신경 가소성과 같은 인간 두뇌 과정의 측면을 AI 시스템에서 시뮬레이션하거나 복제하려는 시도를 진행한다.

6. 장기 및 이론적 연구

인공지능 안전 연구: 특히 인공지능이 인간의 지능을 능가하는 시나리오에서 인공지능의 안전을 제어하고 보장하는 방법을 연구한다.

의식과 AGI: AGI가 의식 또는 자기 인식의 형태를 가질 수 있는지 또는 가져야 하는지에 대한 이론적 연구와 그 함의에 대한 연구를 진행한다.

7. 학제 간 접근

신경과학과의 협업: 신경과학의 인사이트를 통합하여 인간 인지의 측면을 복제하는 방법을 더 잘 이해한다.

철학적 및 이론적 기반: 철학에서 영감을 얻어 지능, 의식, AI의 본질에 대한 근본적인 질문을 해결한다.

인공지능 연구는 최첨단 기술 개발과 인지과학, 신경과학, 철학, 윤리학의 통찰력을 결합한 치열하고 다양한 탐구의 영역이다. 이 분야는 광범위한 작업에서 인간 지능에 필적하거나 이를 능가하는 시스템을 개발한다는 목표와 기술적 과제 뿐 아니라 심오한 사회적, 윤리적 문제를 해결하는 데 초점을 맞추고 있다는 특징이 있다.

- AGI의 미래

인공 일반 지능(AGI)의 미래 발전 방향을 예측하는 것은 이 분야의 가변적인 특성과 AI 연구의 빠른 변화 속도로 인해 매우 어려운 일이다. 하지만 현재의 트렌드와 이론적 틀을 바탕으로 AGI가 발전할 수 있는 몇 가지 잠재적 방향을 파악할 수 있다.

1. 학습 패러다임의 통합

하이브리드 모델: 미래의 AGI는 패턴 인식에 능한 딥러닝과 논리적 추론 및 구조화된 데이터 처리에 능한 심볼릭 AI의 강점을 결합하는 등 다양한 AI 접근 방식을 통합하는 방식으로 발전할 가능성이 높다.

강화된 전이 학습: 인간의 학습 능력을 반영하여 한 영역에서 다른 영역으로 지식을 이전하는 AGI의 능력을 개선한다.

2. 고급 인지 기능

인간과 같은 추론: 추상적 추론을 수행하고, 복잡한 문제를 해결하고, 창의적으로 사고할 수 있는 능력을 갖추기 위한 노력이 계속될 것이다.

맥락적 이해와 상식적 지식: 세상에 대한 깊은 이해와 상식적인 추론을 적용할 수 있는 AGI 시스템을 개발한다.

3. 인간-AI 상호작용 및 감성 지능

자연어 처리(NLP): NLP의 발전은 더욱 정교하고 미묘한 인간과 AI의 상호작용을 목표로 한다.

감정 인식 및 반응: AGI는 인간의 감정을 인식하고 적절하게 반응하여 사회적 맥락에서 상호 작용하는 능력을 향상시킬 수 있도록 개발될 수 있다.

4. 윤리적이고 책임감 있는 AI

윤리 프레임워크: AGI의 능력이 향상됨에 따라 그 사용을 관리하기 위한 윤리적 프레임워크와 가이드라인의 개발이 점점 더 중요해질 것이다.

편향성 완화: AI 시스템의 편견을 줄이고 다양한 인구 통계에 걸쳐 공정하고 공평한 대우를 보장하기 위한 지속적인 노력이 진행될 것이다.

5. 학제 간 접근

신경과학에서 영감을 얻은 AI: 신경과학에서 얻은 인사이트를 활용하면 인간과 더 유사한 인지 과정을 가진 AGI를 개발하는 데 획기적인 발전을 이룰 수 있다.

철학적 및 이론적 통합: 의식, 자유 의지, 윤리에 대한 철학적 관점을 AGI 개발에 통합한다.

6. 컴퓨팅 및 하드웨어 발전

양자 컴퓨팅: 특정 유형의 문제를 기존 컴퓨터보다 더 효율적으로 해결하기 위한 양자 컴퓨팅에 대한 탐구로 잠재적으로 AGI 개발을 가속화할 수 있다.

뉴로모픽 하드웨어: 뇌의 구조와 처리 능력을 모방한 뉴로모픽 칩에 대한 지속적인 연구로 AGI 시스템을 위한 보다 효율적이고 적응적인 컴퓨팅을 제공한다.

7. 안전 및 제어 메커니즘

AGI 안전 연구: AGI가 인간의 가치에 맞게 작동하고 실존적 위험을 초래하지 않도록 안전장치와 제어 방법을 만드는 데 중점을 둔다.

설명 가능성 및 투명성: AGI의 의사결정 과정이 투명하고 인간이 이해할 수 있도록 보장한다.

8. 확장성 및 환경 고려 사항

에너지 효율적인 컴퓨팅: 보다 에너지 효율적인 컴퓨팅 방법을 개발하여 대규모 AI 시스템이 환경에 미치는 영향을 해결한다.

확장 가능하고 지속 가능한 AI: AGI 기능의 발전과 지속 가능하고 확장 가능한 기술의 필요성 사이의 균형을 유지한다.

AGI의 미래는 기술 혁신, 윤리적 고려 사항, 학제 간 연구의 융합이다. AI와 컴퓨팅의 발전 뿐만 아니라 사회적 요구, 윤리적 지침, 철학적 통찰에 의해 형성될 것이다. AGI를 만드는 길은 불확실하고 도전과제로 가득 차 있지만, 기계의 지능을 이해하고 활용하는 방식에 중대한 돌파구를 마련할 수 있는 잠재력을 지니고 있다.

- AGI의 문제점

인공 일반 지능(AGI)은 인공지능 분야의 많은 연구자들이 목표로 삼고 있지만 아직 현실화되지 않았다. 그러나 AGI를 추구하면서 현재 직면하고 있거나 예상되는 수많은 도전과제가 제기되고 있다. 이러한 도전은 기술적, 윤리적, 사회적, 철학적 영역에 걸쳐 있다.

기술적 및 계산적 과제

복잡성과 확장성: 인간과 같은 효율성과 적응력으로 다양한 작업을 학습하고 수행할 수 있는 AGI 시스템을 구축하는 것은 엄청난 기술적 과제이다. 현재의 AI 모델은 전문화되어 있으며 학습을 위해 방대한 양의 데이터가 필요한 경우가 많다.

학습 패러다임의 통합: 심볼릭 AI와 신경망과 같은 다양한 AI 접근 방식을 인간과 유사한 추론과 학습을 모방할 수 있는 일관된 프레임워크에 결합하는 것은 여전히 해결되지 않은 문제이다.

에너지 효율성: 현재의 AI 모델, 특히 대규모 신경망은 상당한 연산 능력과 에너지를 필요로 하기 때문에 모델 확장에 따른 지속 가능성에 대한 우려가 제기되고 있다.

일반화 및 전이 학습: 현재의 AI 시스템은 한 맥락에서 학습한 지식을 다른 맥락에 적용하고 (전이 학습), 제한된 데이터에서 일반화하는 데 어려움을 겪고 있다. (제로 샷 학습).

자연어 이해: 자연어 처리의 발전에도 불구하고 문맥, 뉘앙스, 모호성 등 인간의 능력에 필적하는 언어 이해도를 달성하는 것은 여전히 중요한 과제로 남아 있다.

윤리적 및 사회적 과제

편견과 공정성: AI 시스템은 학습 데이터에 존재하는 편견을 지속시키고 증폭시킬 수 있다. 특히 광범위한 애플리케이션에 걸쳐 작동할 수 있는 AGI의 공정성과 편향성을 보장하는 것은 매우 중요한 문제이다.

책임과 투명성: AI 시스템의 의사결정 과정을 이해하고 설명하는 것은 이미 어려운 일이다. AGI를 사용하면 이 과정이 더욱 복잡해져 책임과 투명성에 대한 문제가 제기된다.

자율성과 통제: AGI 시스템의 자율성과 인간의 감독 필요성 사이의 균형을 맞추는 것은 섬세한 작업이다. 적절히 통제하지 않으면 AGI가 의도하지 않은 방식으로 작동하거나 해로운 행동을 할 위험이 있다.

개인정보 보호: 개인 데이터를 포함한 방대한 양의 데이터를 처리할 수 있는 AGI 시스템은 심각한 개인정보 보호 위험을 초래할 수 있다.

보안: AGI 시스템은 해킹이나 오용의 표적이 될 수 있으며, 고급 기능으로 인해 잠재적인 피해가 악화될 수 있다.

경제 및 고용에 미치는 영향

일자리 감소: AGI는 광범위한 일자리를 자동화하여 고용과 경제 구조에 큰 변화를 가져올 수 있다.

불평등: AGI의 혜택은 이를 통제하는 사람들에게 불균형적으로 돌아갈 수 있으며, 이는 잠재적으로 경제적 불평등을 악화시킬 수 있다.

실존적 및 글로벌 위험

목표의 불일치: AGI 시스템이 인간의 가치와 목표에 부합하지 않아 의도하지 않은 잠재적으로 치명적인 결과를 초래할 위험이 있다.

실존적 위험: AGI가 초 지능화되어 인류에게 해로운 방식으로 행동할 경우 실존적 위험을 초래할 수 있다.

철학적 및 개념적 문제

의식: AGI가 의식을 가져야 하는지, 가질 수 있는지에 대한 질문과 그것이 그 권리와 지위에 어떤 의미가 있는지에 대한 질문은 복잡한 철학적 논쟁거리이다.

윤리적 프레임워크: 특히 도덕적으로 모호한 상황에서 AGI의 행동을 안내하는 윤리적 프레임워크를 개발하는 것은 어려운 일이다.

연구 개발 역학

AGI를 향한 경쟁: 적절한 안전 및 윤리적 고려 없이 경쟁적으로 AGI를 개발하는 것은 위험한 시나리오로 이어질 수 있다.

국제 협력 및 규제: AGI 개발을 위한 국제적인 노력을 조율하고 글로벌 규범과 규제를 수립하는 것은 매우 중요하지만 어려운 일이다.

장기적 관점

사회적 영향: AGI가 사회, 문화, 인간 상호 작용, 심지어 인간의 정체성에 미치는 장기적인 영향은 예측할 수 없으며, 그 영향은 매우 클 수 있다.

지속 가능성: AGI의 개발과 운영이 환경적으로 지속 가능한지 확인하는 것은 또 다른 장기적인 관심사이다.

AGI를 추구하려면 기술적인 문제 뿐만 아니라 윤리적, 사회적, 글로벌 고려 사항과 깊이 얽혀 있는 복잡한 문제를 해결해야 한다. 이러한 과제를 해결하려면 기술자와 AI 연구자 뿐만 아니라 윤리학자, 사회학자, 정책 입안자, 일반 대중이 모두 참여하는 다학제적 접근 방식이 필요하다.

- AGI의 문제점 해결방안

일반 인공지능(AGI)과 관련된 문제를 해결하려면 기술 발전, 윤리적 고려, 정책 개발 및 글로벌 협력을 통합하는 다각적인 접근 방식이 필요하다. 모든 경우에 적용할 수 있는 일률적인 솔루션은 없지만 다음은 AGI가 제시하는 수많은 과제를 해결할 수 있는 다양한 전략과 방법론을 간략하게 설명한다.

기술 솔루션

향상된 학습 패러다임: 기계 학습 기술을 발전시켜 더욱 강력하고 적응 가능하며 효율적인 학습 알고리즘을 개발한다. 여기에는 퓨샷 학습과 전이 학습을 강화하는 것뿐만 아니라 다양한 학습 패러다임을 통합하는 것(예: 기호 네트워크 접근 방식과 신경망 접근 방식 결합)도 포함된다.

에너지 효율적인 컴퓨팅: 뉴로모픽 칩과 같은 에너지 효율적인 하드웨어에 대한 연구에 투자하고 알고리즘을 최적화하여 대규모 AI 모델 실행이 환경에 미치는 영향을 줄인다.

설명 가능한 AI(XAI): AI 결정을 보다 투명하고 이해하기 쉽게 만드는 방법과 기법을 개발한다. 이는 신뢰와 책임에 매우 중요하다.

향상된 일반화: 더 적은 수의 사례를 통해 일반화하고 새로운 맥락에서 지식을 적용할 수 있는 모델을 구축하여 유연하게 적응하고 학습할 수 있는 인간과 같은 능력에 더 가까이 다가간다.

윤리적, 사회적 솔루션

편향 완화: AI 시스템의 편향을 식별하고 완화하기 위해 엄격한 테스트 및 검증 프로세스를 구현한다. 여기에는 데이터 세트를 다양화하고 개발 프로세스에 여러 분야의 팀을 참여시키는 것이 포함된다.

윤리적 프레임워크 및 지침: AI 개발 및 배포에 대한 윤리적 지침을 개발하고 준수하며, 이러한 지침이 전 세계적으로 관련성이 있고 문화적으로 민감하도록 다양한 관점을 통합한다.

이해관계자 참여: 윤리학자, 사회과학자, 최종 사용자, 다양한 커뮤니티 대표 등 광범위한 이해관계자를 AI 시스템 설계 및 배포에 참여시킨다.

개인정보 보호: 데이터 사용에 대한 투명성과 연합 학습과 같은 개인정보 보호 기술 구현을 포함하여 강력한 데이터 개인정보 보호 조치를 채택하고 사용자에게 데이터에 대한 통제권을 부여한다.

경제 및 고용 전략

인력 재교육: 인간의 기술이 대체 불가능한 영역에 초점을 맞춰 AI 기술로 대체된 근로자를 재교육하기 위한 교육 및 훈련 프로그램에 투자한다.

일자리 창출: AI 유지보수, 감독, 윤리성 검토 등 자동화에 따른 새로운 일자리 창출이 가능한 산업 및 분야를 육성한다.

경제 정책: 보편적 기본소득이나 누진과세 등 AI로 인해 악화된 소득 불평등을 해결하는 경제 정책을 개발한다.

글로벌 및 실존적 위험 관리

안전 연구: AGI 시스템이 인간의 가치와 목표에 부합하도록 AI 안전 연구에 우선순위를 두고 강력한 제어 메커니즘을 개발한다.

글로벌 협력 및 규제: AGI 개발을 감독하기 위한 국제 기구 및 협약을 수립하여 AGI가 글로벌 규모에서 안전하고 윤리적으로 추구되도록 보장한다.

장기 영향 평가: AGI가 사회, 환경 및 글로벌 안정성에 미치는

장기적인 영향에 대한 철저한 평가를 수행한다.

철학적, 개념적 고려사항

의식과 권리: 권리와 윤리적 대우를 포함하여 AGI의 잠재적 의식이 갖는 의미에 대한 학제간 연구와 대화에 참여한다.

도덕적 및 윤리적 AI: 철학, 사회학, 인지 과학을 바탕으로 AGI 개발에 도덕적 및 윤리적 추론 기능을 통합한다.

연구 개발 역학

책임 있는 혁신: 처음부터 안전, 윤리적 고려 및 사회적 영향을 강조하면서 AI 연구에서 책임 있는 혁신 문화를 장려한다.

공개 연구 및 협업: 지식을 널리 배포하고 AGI에 대한 위험한 경쟁을 피하기 위해 개방적이고 협력적인 연구 관행을 장려한다.

장기적인 관점

사회적 준비: 공교육, 정책 개발, 사회적 대화를 통해 AGI의 잠재적 영향에 대해 사회를 준비한다.

지속 가능성 통합: AGI 개발이 지속 가능한 관행에 부합하고 환경 목표에 긍정적으로 기여하도록 보장한다.

AGI의 문제를 해결하려면 기술 혁신과 윤리적, 사회적, 글로벌 영향에 대한 깊은 고려를 결합하는 협업적이고 학제적인 접근 방식이 필요하다. 이러한 접근 방식은 AI 분야가 계속 발전함에 따라 새로운 과제와 통찰력에 적응하고 대응할 수 있어야 한다.

- AGI의 사회적 영향

일반 인공지능(AGI)의 발전은 인간 삶의 거의 모든 측면에 영향을 미칠 정도로 엄청난 사회적 영향을 미칠 것으로 예상된다. 이러한 영향의 규모는 경제적, 윤리적, 문화적, 실존적 차원에 영향을 미칠 정도로 전례 없는 수준이 될 것이다. 잠재적인 사회적 영향에 대한 자세한 탐구는 다음과 같다.

경제 변혁

일자리 대체 및 창출: AGI는 인간보다 더 효율적으로 다양한 작업을 수행할 수 있기 때문에 상당한 일자리 대체를 가져올 가능성이 높다. 그러나 특히 AGI 시스템을 감독, 유지 및 개선하는 분야에서 새로운 직업 범주를 창출할 수도 있다.

경제적 불평등: AGI의 이점은 이러한 기술을 통제하는 사람들에게 불균형적으로 발생하여 잠재적으로 부와 소득 불평등을 악화시킬 수 있다.

생산성 및 성장: AGI는 엄청난 경제 성장과 생산성을 촉진하여 새로운 수준의 부 창출로 이어질 수 있다. 또한 자원 관리에 대한 솔루션을 제공하여 천연 자원을 보다 효율적으로 사용할 수 있다.

사회적 변화

교육 및 기술 개발: 교육 시스템은 비판적 사고, 창의성, 감성 지능과 같이 AGI가 쉽게 복제할 수 없는 기술에 초점을 맞춰 적응해야 한다.

헬스케어의 변화: AGI는 맞춤형 의료, 고급 진단 및 의료 시스템의 효율적인 관리를 제공하여 의료에 혁명을 일으킬 수 있다. 그러나 이로 인해 개인 정보 보호 및 데이터 보안 문제가 발생할 수도 있다.

일상 생활에 미치는 영향: AGI는 개인 비서부터 의사 결정 보조 장치까지 일상 생활의 필수적인 부분이 되어 개인이 기술과 상호 작용하는 방식을 근본적으로 변화시킬 수 있다.

윤리적, 도덕적 고려 사항

의사결정: 의사결정 과정, 특히 법률, 의학, 공공 정책과 같은 중요한 영역에 AGI가 참여하면 윤리, 편견, 책임에 대한 의문이 제기된다.

개인 정보 보호 문제: 방대한 양의 데이터를 처리하는 AGI의 기능은 전례 없는 수준의 감시와 개인 정보 침해로 이어질 수 있다.

인권 및 AGI 권리: AGI의 개발은 결국 이러한 지적 개체의 권리에 대한 의문으로 이어질 수 있다. 특히 이들이 의식이나 감각의 특성을 나타내는 경우 더욱 그렇다.

문화적, 심리적 영향

인간의 정체성과 목적: 기계가 인간보다 작업을 더 잘 수행할 수 있게 되면 인간의 자기 정체성과 목적의식에 큰 영향을 미칠 수 있다.

사회적 관계: AGI는 사회적 역학에 영향을 미쳐 잠재적으로 인간 대 인간의 상호 작용을 감소시키고 동료애와 지원을 위해 기계에 대한 의존도를 증가시킬 수 있다.

예술과 창의성: AGI는 예술과 창의성 분야에 기여하여 창의성과 예술적 표현에 대한 우리의 개념에 도전할 수 있다.

글로벌 역학 및 보안

글로벌 불평등: AGI 기술의 불균등한 분포는 글로벌 불평등을 악화시켜 AGI 선진국과 기술이 없는 국가 사이에 격차를 만들 수 있다.

국제 안보: AGI는 특히 군사 응용 분야에 사용될 경우 새로운 형태의 전쟁과 글로벌 안보 문제로 이어질 수 있다.

글로벌 협력: AGI의 영향을 관리하려면 전례 없는 수준의 국제 협력과 조정이 필요할 것이다.

존재 및 장기적 영향

인간-AI 공존: 인간과 AGI 개체의 장기적인 공존은 인간 사회, 거버넌스, 고도로 지능적인 기계와의 공존에 대한 근본적인 질문을 제기할 것이다.

지속 가능성: AGI는 기후 변화 및 환경 파괴와 같은 글로벌 문제에 대한 솔루션을 제공할 수 있지만 AGI의 개발 및 운영은 지속 가능성에 대한 우려를 불러일으키기도 한다.

AGI 개발의 사회적 영향은 광범위하고 다면적이며 인간 삶의 모든 측면에 영향을 미칠 것이다. 이러한 변화에는 AGI의 혜택이 공평하게 분배되고 위험이 완화되도록 윤리적 고려, 사회 복지 및 글로벌 협력에 초점을 맞춘 신중한 관리가 필요하다. 이러한 잠재적 영향에 대비하려면 기술적 준비뿐 아니라 사회 규범, 경제 구조, 글로벌 정책에 대한 재평가도 필요하다.

- AGI의 윤리적 고려사항

일반 인공지능(AGI)의 개발은 많은 윤리적 고려사항을 가져온다. 이러한 우려는 단지 추측에 불과한 것이 아니라 AGI 기술의 책임 있는 개발 및 배포에 중추적인 것이다. AGI의 윤리적 환경은 개인의 권리부터 글로벌 영향까지 고려하는 등 다면적인 성격을 가진다.

1. AGI의 도덕적, 윤리적 의사결정

윤리 인코딩: AGI 시스템에서 윤리 원칙을 어떻게 인코딩하는것이 인간 가치에 부합하도록 보장할 수 있는지 여부가 중요하다.

동적 윤리: 윤리적 규범은 문화에 따라 다양하며 시간이 지남에 따라 발전한다. AGI 시스템은 이러한 변화에 어떻게 적응할 수 있는지 여부가 중요하다.

도덕적 책임: AGI 시스템이 해를 끼치는 결정을 내리는 경우 책임은 누구에게 있는 것일까. 개발자, 사용자, 아니면, 기계 자체인지 여부 판단이 중요하다.

2. 편견과 공정성

알고리즘 편향: AGI 시스템은 훈련 데이터에 존재하는 편향을 상속하고 증폭할 수 있다. 공정성을 보장하려면 데이터 선택, 모델 교육 및 지속적인 모니터링에 대한 신중한 고려가 필요하다.

다양성과 대표성: AGI 개발팀은 윤리적 문제에 대해 최대한 광범위한 관점을 보장하기 위해 다양해야 한다.

3. 투명성 및 설명 가능성

AGI 의사결정 이해: AGI 시스템이 더욱 복잡해짐에 따라 의사결정 프로세스의 투명성이 떨어지고 "블랙박스" 문제가 발생할 수 있다. 투명성을 보장하는 것은 신뢰와 책임을 위해 매우 중요하다.

설명할 권리: 사용자는 특히 의료, 법 집행, 금융과 같은 중요한 영역에서 AGI 시스템의 결정에 대해 설명할 권리가 있어야 한다.

4. 개인정보 보호 문제

데이터 사용량: AGI 시스템에는 방대한 양의 데이터가 필요하다. 이 데이터를 책임감 있게 수집, 저장 및 사용하는 것은 주요 윤리적 관심사이다.

감시 및 자율성: AGI가 광범위한 감시에 사용되어 개인의 사생활과 자율성을 침해할 위험이 있다.

5. AGI 권리와 의식

의식 및 지각: AGI 시스템이 의식 또는 지각 수준에 도달하면 해당 시스템의 권리와 윤리적 대우에 대한 의문이 제기될 것이다.

인격 및 법적 지위: AGI 법인의 법적 지위를 결정하는 것은 복잡한 문제이다. 특히 이들이 독립적인 생각과 감정을 나타내는

경우 더욱 그렇다.

6. 안전과 선의

해로움 예방: AGI 시스템이 의도치 않게 해를 끼치지 않도록 보장하는 것은 중요한 윤리적 문제이다. 여기에는 강력한 안전 메커니즘과 안전 장치의 개발이 포함된다.

긍정적 영향: AGI는 인류에게 혜택을 주고 의료, 교육, 환경 지속 가능성과 같은 사회적 과제에 긍정적으로 기여하는 것을 목표로 개발되어야 한다.

7. 접근성과 형평성

글로벌 액세스: AGI의 혜택이 소수의 개인이나 국가로 제한될 위험이 있다. AGI 기술에 대한 공평한 접근을 보장하는 것은 윤리적 의무이다.

디지털 격차: AGI는 첨단 기술에 접근할 수 있는 사람과 그렇지 않은 사람 사이의 격차를 확대할 수 있다.

8. 경제 및 고용에 미치는 영향

일자리 대체: AGI는 많은 일자리를 자동화하여 경제적 대체와 근로자에 대한 윤리적 책임에 대한 의문을 제기할 가능성이 높다.

새로운 경제 모델: AGI의 개발에는 실업률 증가 가능성을 해결

하기 위해 보편적 기본 소득과 같은 새로운 경제 모델이 필요할 수 있다.

9. 글로벌 거버넌스 및 정책

국제 협력: AGI 거버넌스를 위한 글로벌 프레임워크를 개발하는 것은 위험을 관리하고 윤리적 고려 사항이 일관되게 적용되도록 하는 데 중요하다.

규제 표준: 안전성, 투명성, 책임성을 보장하기 위해 AGI 개발 및 배포에 대한 국제 표준을 확립한다.

10. 장기적이고 실존적인 위험

AGI 및 초지능: AGI가 인간 지능을 능가할 가능성은 예측하고 관리해야 할 실존적 위험을 제시한다.

정렬 문제: AGI의 목표와 행동이 인간의 가치 및 유익한 결과와 일치하는지 확인하는 것은 중대한 과제이다.

AGI를 둘러싼 윤리적 환경은 복잡하고 진화하고 있다. 이를 위해서는 기술자, 윤리학자, 정책 입안자 및 기타 이해관계자 간의 학제간 협력을 포함하는 사전 예방적인 접근 방식이 필요하다. 혁신과 윤리적 책임의 균형을 맞추는 것은 AGI가 개발될 경우 모든 인류에게 유익하고 더 넓은 사회적 가치 및 목표에 부합하도록 보장하는 데 중요하다.

2장

생성형 AI,
세상을 뒤흔들다

01
생성형AI 트렌드

- 생성형AI의 등장

생성형 AI의 등장 배경에는 인공 지능과 기계 학습 분야의 다양한 연구 개발 역사가 포함된다. 생성형 AI는 기존 데이터 세트의 학습을 기반으로 텍스트, 이미지, 음악 또는 기타 데이터 유형 등 새로운 콘텐츠를 생성할 수 있는 알고리즘 및 모델 클래스를 의미한다. 그 진화는 계산 기술, 이론적 이해 및 기술 역량의 점진적인 발전에 대한 이야기이다.

초기 기초(1950년대~1980년대)

초기 AI 연구: AI의 기초는 1950년대와 1960년대에 Turing Test를 제안한 Alan Turing과 "인공 지능"이라는 용어를 창안한 John McCarthy와 같은 연구자에 의해 확립되었다.

규칙 기반 시스템: 초기 AI 시스템은 규칙 기반이었으며 출력을 생성하기 위해 명시적인 프로그래밍에 의존했다. 이러한 시스템에는 새로운 콘텐츠를 독립적으로 학습하거나 생성하는 능력이 부족했다.

신경망: 인간의 두뇌에서 영감을 받은 신경망 개념이 이 시기에 등장했다. 이는 현대 딥러닝의 선구자였지만 당시의 계산 자원으로 인해 제한되었다.

머신러닝의 출현(1980년대~2000년대)

머신러닝: 머신러닝 분야는 1980년대에 구체화되기 시작했다. 데이터로부터 학습하여 시간이 지남에 따라 성능을 향상시킬 수 있는 알고리즘이 개발되었다.

신경망의 진화: 1980년대 역전파의 재발견으로 신경망 연구가 활성화되어 더욱 정교한 모델이 개발되었다.

계산 능력의 증가: 하드웨어의 발전, 특히 계산 능력과 데이터 저장 능력의 증가로 더욱 복잡한 모델링 및 학습 기능이 촉진되었다.

딥러닝의 부상(2000년대~2010년대)

딥 러닝: 2000년대에는 여러 계층이 있는 신경망과 관련된 기계 학습의 하위 집합인 딥 러닝이 출현했다. 이러한 네트워크는 풍부한 데이터 표현을 학습하여 복잡한 작업에 매우 효과적일 수 있다.

이미지 및 음성 인식의 혁신: 이미지 작업을 위한 CNN(Convolutional Neural Networks)과 음성 및 텍스트와 같은 순차적 데이터를 위한 RNN(Recurrent Neural Networks)의 개발

이 진행되었다.

생성 모델: 이 시대에는 초기 생성 모델도 개발되었다. 특히 RBM(Restricted Boltzmann Machines)과 이후 VAE(Variational Autoencoders) 및 GAN(Generative Adversarial Networks)이 개발되었다. 이러한 모델은 데이터세트를 학습한 후 새로운 데이터 샘플을 생성할 수 있다.

확장 및 전문화(2010년대~현재)

GAN(생성적 적대 신경망): 2014년 Ian Goodfellow와 동료가 도입한 GAN은 서로 반대 방향으로 훈련하는 생성자와 판별자라는 두 개의 신경망으로 구성된다. 이 프레임워크는 사실적인 이미지를 생성하는 데 매우 효과적인 것으로 입증되었다.

언어 모델: 특히 GPT(Generative Pretrained Transformer) 및 BERT(BiDirectional Encoder Representations from Transformers)와 같은 변환기 아키텍처의 개발을 통한 언어 모델링의 발전은 자연어 처리에 혁명을 일으켰다.

특수 응용: 생성 AI는 예술과 음악 창작부터 신약 발견, 재료 과학에 이르기까지 전문 분야에 적용되기 시작했다.

윤리적 및 사회적 고려 사항: 생성 AI가 더욱 강력해짐에 따라 특히 딥페이크, 잘못된 정보 및 데이터 개인 정보 보호와 관련된 윤리적 고려 사항이 부각되었다.

접근성 및 민주화: AI 연구자 및 전문가뿐만 아니라 더 광범위한 사용자가 생성 AI에 더 쉽게 액세스할 수 있게 해주는 도구와 플랫폼이 등장했다.

현재 동향 및 향후 방향

다중 모드 모델: 최근 개발에는 텍스트, 이미지 및 기타 데이터 유형을 결합하여 콘텐츠를 이해하고 생성할 수 있는 다중 모드 모델이 포함된다.

윤리적 AI 개발: 생성 AI 사용을 관리하기 위한 윤리적 지침과 프레임워크를 개발하는 데 점점 더 중점을 두고 있다.

확장 및 효율성: 지속적인 연구는 모델을 보다 효율적으로 만들고 환경에 미치는 영향을 줄이며 더 큰 데이터 세트로 확장할 수 있도록 만드는 것을 목표로 한다.

현실감 및 창의성 향상: 모델이 더욱 정교해짐에 따라 생성된 콘텐츠의 현실감과 창의성이 계속해서 향상된다.

생성형 AI의 역사는 지속적인 혁신과 확장의 서사이다. 단순한 규칙 기반 시스템부터 매우 현실적이고 창의적인 결과물을 생성할 수 있는 복잡한 모델에 이르기까지 이 분야는 극적으로 발전했다. 계속 발전함에 따라 지속적인 연구, 향상된 컴퓨팅 능력, 잠재력과 과제에 대한 이해 증가를 통해 기술과 사회의 다양한 측면을 변화시키고 있다.

- 생성형AI 동향

인공지능 내에서 빠르게 진화하는 영역인 생성형 AI(Generative AI)는 상당한 발전과 추세 변화를 겪고 있다. 이러한 추세는 지속적인 연구, 기술적 혁신, 다양한 부문에서 AI의 통합 증가를 반영한다. 생성 AI의 현재 및 새로운 트렌드를 심층적으로 살펴보겠다.

1. GAN(생성적 적대 신경망)의 발전

향상된 사실성: GAN은 사실적인 이미지와 비디오를 생성하는 데 점점 더 정교해지면서 AI 생성 이미지와 실제 이미지 간의 격차를 대폭 줄였다.

StyleGAN과 그 진화: NVIDIA의 StyleGAN과 후속 버전은 사실적인 인간 얼굴과 기타 복잡한 이미지를 생성하는 데 있어 한계를 뛰어넘었다.

조건부 GAN: 특정 조건이나 속성을 기반으로 이미지를 생성하여 출력을 더 효과적으로 제어할 수 있도록 개발되고 있다.

2. 언어 모델의 개발

변환기 모델: GPT(Generative Pretrained Transformer) 시리즈 및 BERT(BiDirectional Encoder Representations from Transformers)와 같은 변환기 모델의 도입으로 자연어 처리에 혁명이 일어났

다.

대규모 언어 모델: GPT-3과 같은 모델은 인간과 유사한 텍스트를 생성하는 놀라운 기능을 보여주어 콘텐츠 생성에서 대화 에이전트에 이르는 애플리케이션을 가능하게 한다.

3. 예술과 음악을 위한 창의적인 AI

예술 속의 AI: 생성형 AI는 종종 인간 예술가와 협력하여 예술 작품을 만드는 데 사용되고 있다. 여기에는 시각 예술, 음악, 문학, 심지어 공연 예술까지 포함된다.

개인화 및 스타일 모방: AI는 특정 예술적 스타일을 모방하여 유명 아티스트나 장르의 뉘앙스를 반영하는 작품을 만들 수 있다.

4. 게임 및 가상 환경의 AI

절차적 콘텐츠 생성: 생성 AI는 비디오 게임에서 다양하고 광범위한 가상 세계를 생성하는 데 사용되어 독특하고 예측할 수 없는 환경에서 게임 경험을 향상시킵니다.

캐릭터 및 내러티브 개발: AI가 생성한 내러티브와 캐릭터는 더욱 정교해지고 있으며 게임에서 개인화되고 역동적인 스토리텔링을 제공한다.

5. 약물 발견 및 재료 과학

분자 구조 생성: 생성 모델은 약물 발견을 위한 새로운 분자 구조를 예측하고 생성하는 데 사용되어 개발 프로세스 속도를 크게 높이고 있다.

재료 특성 예측: AI 모델은 재료 특성을 예측하고 원하는 특성을 가진 새로운 재료를 생성할 수 있다.

6. 데이터 확대 및 합성 데이터 생성

데이터 세트 강화: 생성 AI는 합성 데이터를 생성하고 기존 데이터 세트를 보강하는 데 사용된다. 특히 데이터 수집이 어렵거나 개인 정보 보호 문제가 가장 중요한 분야에서 유용하다.

AI 모델 교육: 합성 데이터는 특히 실제 데이터가 부족하거나 편향된 시나리오에서 다른 AI 모델을 교육하는 데 중요한 역할을 한다.

7. 윤리적이고 책임감 있는 AI 개발

딥페이크 탐지 및 규제: AI로 생성된 콘텐츠가 더욱 현실화됨에 따라 딥페이크를 탐지하고 잠재적인 오용을 완화하기 위한 도구와 규정에 대한 필요성이 커지고 있다.

편향 및 공정성: 공정성과 윤리적 사용을 보장하기 위해 생성 모델의 편향을 해결하는 것이 중요한 초점 영역이다.

8. 효율성 및 접근성 개선

모델 효율성: 생성 모델을 더욱 효율적으로 만들고 리소스 집약도를 줄여 접근성을 높이고 환경에 미치는 영향을 줄이는 경향이 있다.

AI 도구의 민주화: 사용자 친화적인 AI 도구 및 플랫폼의 개발로 인해 비전문가도 생성 AI에 접근할 수 있게 되었다.

9. 다중 모드 및 교차 도메인 모델

교차 도메인 생성: 다양한 도메인에 걸쳐 콘텐츠를 생성할 수 있는 모델 개발(예: 텍스트 설명을 이미지로 변환)

다중 모드 모델: OpenAI의 DALL-E와 같은 모델은 텍스트와 이미지를 결합한 콘텐츠를 이해하고 생성하는 능력을 보여준다.

10. 의료 및 금융 분야의 예측 모델

헬스케어 애플리케이션: 헬스케어 분야의 예측 모델은 진단, 치료 계획, 질병 진행 예측에 사용되고 있다.

재무 예측: 위험 평가, 시장 분석, 예측 모델링을 위해 금융 부문에서 생성형 AI가 점점 더 많이 적용되고 있다.

생성 AI 분야는 빠른 혁신 속도와 다양한 분야에 걸쳐 적용 범위가 확대되고 있다는 특징이 있다. 예술적 창작부터 과학적 발견까지, 생성 AI의 역량은 계속해서 성장하면서 기회와 도전을 동시에 가져오고 있다. 기술이 발전함에 따라 윤리적 고려와 책임감 있는 AI 개발 추구가 핵심 주제로 남아 있어 생성 AI의 이점이 공평하고 공평하며 사회적 가치에 부합하는 방식으로 활용되도록 논의가 지속적으로 진행되어야 한다.

- 생성형AI의 트렌드

2023년 현재, 생성 AI는 인공 지능 분야에서 가장 흥미로운 발전의 선두에 있다. 텍스트, 이미지, 오디오 또는 복잡한 시뮬레이션 등 새롭고 독창적인 콘텐츠를 생성할 수 있는 알고리즘을 만드는 데 중점을 둔다. 생성 AI의 최신 트렌드는 기술 발전과 다양한 산업 분야의 변화하는 애플리케이션을 반영하면서 다양하고 빠르게 진화하고 있다.

1. 대규모 언어 모델

고급 텍스트 생성: OpenAI의 GPT-4와 같은 모델은 텍스트 생성의 새로운 표준을 설정하여 광범위한 주제와 스타일에 걸쳐 매우 일관되고 상황에 맞는 관련 텍스트를 생성할 수 있다.

미세 조정 및 개인화: 특정 산업이나 응용 분야에 맞게 이러한 모델을 미세 조정하여 보다 목표화되고 관련성이 높은 결과를 도출하려는 추세가 증가하고 있다.

2. 생성적 적대 네트워크(GAN)

사실적인 이미지 생성: GAN은 고해상도의 사실적인 이미지를 생성하는 데 점점 더 능숙해지면서 디지털 아트, 게임, 가상 현실과 같은 분야에서 상당한 발전을 이루었다.

데이터 증강을 위한 GAN: 데이터가 부족하거나 민감한 분야(예: 의료 영상)에서 GAN은 추가 훈련 데이터를 생성하여 다른 AI 모델의 성능을 향상시키는 데 사용된다.

3. 다중 모드 AI 모델

교차 미디어 세대: 텍스트 설명에서 이미지를 생성하는 OpenAI의 DALL-E와 같은 모델은 다양한 형태의 미디어에 대한 이해와 생성 기능을 결합하여 다중 모드 AI의 중요한 도약을 나타낸다.

통합 증가: 다양한 형태의 미디어를 원활하게 이해하고 생성할 수 있는 가상 비서와 같은 보다 복잡한 시스템에 이러한 기능을 통합하는 경향이 있다.

4. 창의적인 AI

미술과 음악: AI는 미술, 음악, 문학 창작 등에서 더욱 창의적으로 사용되고 있다. 여기에는 독립적인 AI 생성 예술 작품과 AI-인간 공동 작업이 모두 포함된다.

AI 창의성 탐구: AI 창의성이 인간의 창의성을 강화하는 데 어떻게 사용될 수 있는지를 포함하여 AI 창의성의 한계와 본질에 대한 지속적인 탐구가 진행되고 있다.

5. 게임 개발에서의 AI

절차적 콘텐츠 생성: 생성형 AI는 다양하고 역동적인 환경, 캐릭터 모델, 심지어 게임 내러티브를 만들기 위해 비디오 게임 개발에 점점 더 많이 사용되고 있다.

6. 합성 데이터 생성

훈련 및 시뮬레이션: 자율주행차 개발 및 의료 연구와 같이 실제 데이터가 불충분하거나 사용하기에 너무 민감한 환경에서 AI 모델을 훈련하는 데 합성 데이터 생성이 점점 더 중요해지고 있다.

7. 디지털 마케팅을 위한 AI 생성 콘텐츠

개인화된 콘텐츠: AI를 사용하여 개인화된 광고 콘텐츠와 제품 추천을 생성하는 것이 더욱 정교해지면서 고도로 타겟팅된 마케팅 전략이 가능해졌다.

8. 윤리적이고 책임감 있는 AI 개발

편향 해결: 생성 AI 모델은 훈련된 데이터만큼만 편향되지 않기 때문에 이러한 모델 내의 편향을 식별하고 완화하는 데 점점 더 중점을 두고 있다.

딥페이크 탐지 및 윤리: 사실적인 AI로 생성된 이미지와 비디오가 증가함에 따라 딥페이크를 탐지하고 규제하기 위한 기술과 정책에 대한 필요성이 커지고 있다.

9. 약물 발견 및 재료 과학

분자 설계: AI는 신약 개발을 위한 새로운 분자 구조를 생성하고 발견 프로세스를 가속화하며 비용을 절감하는 데 사용되고 있다.

재료 공학: 마찬가지로 생성 모델은 원하는 특성을 가진 새로운 재료를 예측하고 설계하는 데 도움이 된다.

10. 학제간 지원

헬스케어: 연구용 합성 환자 데이터 생성부터 새로운 치료 계획 개발에 이르기까지 AI는 헬스케어 분야에 상당한 영향을 미치고 있다.

금융 및 경제: 금융 분야에서는 예측 모델링, 위험 평가, 재무 보고서 생성에 AI가 사용된다.

생성 AI의 최신 동향은 다양한 부문에 걸쳐 범위가 확대되고 영향력이 심화되고 있음을 보여준다. 예술 창작부터 과학적 발견 지원까지, 생성 AI는 기존 프로세스를 향상시킬 뿐만 아니라 혁신과 창의성을 위한 새로운 가능성을 열어준다. 이 분야가 계속 발전함에 따라 특히 윤리, 편견 및 책임감 있는 사용 영역에서 기회와 과제가 함께 발생한다.

- 생성형AI 프롬프트

GPT(Generative Pretrained Transformer) 또는 DALL-E와 같은 이미지 생성 AI와 같은 생성 AI 모델에서 프롬프트를 효과적으로 사용하려면 이러한 모델이 입력을 해석하고 응답하는 방식을 이해해야 한다. 다음은 생성 AI의 다양한 상황에서 프롬프트를 효과적으로 사용하는 방법에 대한 심층적인 설명이다.

Generative AI 프롬프트 이해하기

프롬프트의 특성: 프롬프트는 응답이나 출력을 생성하기 위해 AI 모델에 제공되는 입력이다. GPT와 같은 텍스트 기반 모델에서는 일반적으로 문구나 질문인 반면, 이미지 생성 모델에서는 원하는 이미지에 대한 설명이다.

모델의 훈련 및 기능: 모델이 프롬프트에 응답하는 방식은 훈련된 방식에 따라 달라진다. 예를 들어, GPT 모델은 방대한 텍스트 데이터 세트에 대해 학습되었으며 광범위한 주제에 대한 응답을 생성할 수 있다.

텍스트 기반 생성 AI를 위한 효과적인 프롬프트

명확성과 구체성: 메시지를 명확하고 구체적으로 작성한다. 모호한 프롬프트는 모호하거나 목표를 벗어난 응답으로 이어질 수 있다. 예를 들어, "노을에 관한 시를 써 보세요"라고 말하면 단순히 "시를 써 보세요"라고 말하는 것보다 더 집중된 결과를

얻을 수 있다.

상황 별 정보: 특정 유형의 응답이 필요한 경우 충분한 맥락을 제공한다. 예를 들어, "프랑스 혁명에 대한 간략한 요약을 마치 그 시대의 뉴스 기사인 것처럼 작성하세요"는 모델이 원하는 내용과 스타일을 모두 명확하게 이해하도록 해준다.

순차 프롬프트: 복잡한 작업의 경우 순차적 프롬프트로 나누는 것이 좋다. 이 접근 방식은 여러 단계가 필요한 작업이나 응답을 구체화할 때 유용하다.

예제 별 미세 조정: 프롬프트에 예를 포함하면 AI가 특정 스타일이나 형식으로 응답을 생성하도록 안내할 수 있다. 예를 들어, 편지의 형식이나 시의 스타일을 표시하면 비슷한 결과가 나올 수 있다.

이미지 생성 AI를 위한 제작 프롬프트

설명 언어: 이미지의 주제 뿐만 아니라 스타일, 분위기 및 기타 예술적 요소도 포착하는 설명 언어를 사용한다. 예를 들어, "인상파 스타일로, 배경에 산이 있고 전경에 잔잔한 호수가 있는 고요한 풍경화"이다.

세부사항과 유연성의 균형: 세부사항이 도움이 되지만 AI가 프롬프트를 해석하는 방식으로 인해 너무 구체적인 경우 때로는 예상치 못한 결과가 발생할 수 있다. 지침과 유연성 사이의 균형이 가장 좋은 결과를 낳는 경우가 많다.

반복적 개선: 첫 번째 시도에서 원하는 결과를 얻지 못할 수도 있다. 수신한 출력을 기반으로 프롬프트를 반복적으로 개선한다.

고급 기술

프롬프트 엔지니어링: 여기에는 특정 유형의 응답을 "엔지니어링"하기 위한 프롬프트를 신중하게 설계하는 작업이 포함된다. 모델의 훈련과 예상되는 반응에 대한 이해가 필요한다.

프롬프트 연결: 한 프롬프트의 출력을 다른 프롬프트의 입력으로 사용하는 방식으로, 여러 단계가 필요한 복잡한 작업에 유용할 수 있다.

부정적인 프롬프트: 출력에서 원하지 않는 것을 지정하면 특히 이미지 생성기의 경우 결과를 개선하는 데 도움이 될 수 있다.

윤리적 고려 사항 및 제한 사항

오용 방지: 생성 AI를 윤리적으로 사용하고 모델이 유해하거나 편향되거나 부적절한 콘텐츠를 생성하도록 장려하는 메시지를 피하는 것이 중요한다.

제한 사항 이해: AI 모델은 인간이 수행하는 방식으로 프롬프트를 이해하지 못할 수 있으며 부정확하거나 무의미한 출력을 생성할 수 있다. 이러한 제한 사항을 인식하면 현실적인 기대치를 설정하는 데 도움이 된다.

상황에 대한 민감도: 모델의 응답은 교육 데이터를 기반으로 하며 현재의 사회적, 문화적 맥락에 항상 적절하거나 민감하지 않을 수 있다는 점에 유의한다.

생성형 AI에서 프롬프트를 효과적으로 사용하려면 명확한 의사소통, AI 모델의 기능과 한계 이해, 반복적 개선이 혼합되어야 한다. 특정 AI 모델에 익숙해지면 원하는 결과를 달성하기 위해 프롬프트를 작성하는 방법에 대한 더 나은 감각을 갖게 될 것이다. 생성형 AI는 도구이며 다른 도구와 마찬가지로 그 효과는 사용 방법에 따라 크게 달라진다.

- Auto GPT

1. 자동화된 GPT 애플리케이션

"자동 GPT"는 GPT(Generative Pretrained Transformer) 모델을 사용하여 작업을 자동화하는 것을 의미한다. 여기에는 사람의 개입 없이 특정 프로세스나 작업을 자동화하는 방식으로 GPT 모델을 사용하는 것이 포함된다.

자동화된 콘텐츠 생성: GPT 모델을 사용하면 주어진 프롬프트나 데이터 입력을 기반으로 기사, 보고서, 스토리, 심지어 코드와 같은 텍스트 기반 콘텐츠를 자동으로 생성할 수 있다.

소프트웨어 및 시스템 통합: GPT는 다양한 소프트웨어 시스템에 통합되어 이메일 응답, 고객 서비스 챗봇, 콘텐츠 제안 등과 같은 작업을 자동화할 수 있다.

맞춤형 AI 솔루션: 기업이나 개발자는 GPT를 사용하여 자동화된 시장 분석이나 법률 문서 초안 생성과 같이 운영에 고유한 특정 프로세스를 자동화하는 맞춤형 AI 솔루션을 만들 수 있다.

2. 자체 개선 GPT 모델

자체 최적화 또는 자체 개선 기능을 갖춘 GPT 모델이다.

RLHF(사람 피드백을 통한 강화 학습): 이 접근 방식에는 피드백을 기반으로 개선하기 위한 GPT와 같은 교육 모델이 포함된다. OpenAI는 모델의 응답을 개선하기 위해 이 접근 방식을 실험했다.

지속적 학습: 현재 GPT 모델은 배포 후 지속적으로 학습하지 않지만 '자동 GPT' 아이디어에는 새로운 데이터나 상호 작용을 통한 지속적인 학습이 포함될 수 있으므로 수동 재교육 없이 지식 기반을 개선하고 업데이트할 수 있다.

3. 사용자 친화적인 GPT 인터페이스

"자동 GPT"는 GPT 모델과 상호 작용하기 위한 사용자 친화적인 인터페이스를 제공하고 이러한 모델을 배포하고 활용하는 기술적 측면을 자동화하는 플랫폼 또는 도구이다.

노코드/로우코드 플랫폼: 이러한 플랫폼을 사용하면 최소한의 코딩 경험을 가진 사용자가 다양한 애플리케이션에 대해 GPT 모델의 성능을 활용할 수 있다.

자동 프롬프트 엔지니어링: 이 도구는 효과적인 프롬프트를 작성하는 데 도움을 주어 사용자가 GPT 모델에서 원하는 결과를 더 쉽게 얻을 수 있도록 해준다.

4. 자동화 작업을 위한 GPT

의사결정 프로세스 자동화, 자동화된 워크플로 생성 또는 기타 유사한 애플리케이션을 위해 GPT 모델을 사용하는 것을 의미한다.

의사결정 지원 시스템: GPT는 금융, 의료, IT 등 다양한 분야에서 제안, 예측, 의사결정 지원을 생성하는 데 사용될 수 있다.

워크플로 자동화: GPT 모델을 사용하면 비즈니스 프로세스의 워크플로를 설계하거나 제안하여 일상적인 의사 결정과 절차적 작업을 자동화할 수 있다.

5. AutoML 기능을 갖춘 GPT 모델

마지막으로 '자동 GPT'는 기계 학습 파이프라인 자동화에 초점을 맞춘 AutoML(자동 기계 학습) 기능과 통합된 GPT 모델을 의미한다.

자동 모델 조정: AutoML을 통합하여 특정 작업이나 데이터세트에 대해 GPT 모델의 하이퍼매개변수를 자동으로 조정한다.

모델 선택 및 배포: AutoML 기능은 가장 적합한 GPT 모델 변형을 선택하고 특정 애플리케이션이나 데이터세트에 배포하는 데도 도움이 될 수 있다.

- AI 트랜스포메이션

AI 트랜스포메이션(AI Transformation)이란 인공지능(AI)의 출현과 융합이 가져오는 사회, 산업, 일상생활 등 다양한 분야에 걸쳐 광범위한 변화를 의미한다. 이러한 변화는 다면적이며 기술 프로세스 뿐만 아니라 경제적, 문화적, 사회적 측면에도 영향을 미칩니다. 이에 대해 자세히 살펴보겠다.

1. 기술 발전

머신 러닝 및 딥 러닝: AI 혁신의 중추는 머신 러닝, 특히 딥 러닝의 발전에 있다. 딥 러닝을 통해 기계는 대규모 데이터 세트를 분석하고 학습하여 명시적인 프로그래밍 없이 시간이 지남에 따라 향상된다.

자연어 처리(NLP): NLP의 상당한 개선으로 인해 기계는 점점 더 정교해지고 인간의 언어를 이해하고 해석하고 응답할 수 있게 되었다.

컴퓨터 비전: 컴퓨터 비전의 발전으로 인해 기계는 현실 세계의 시각적 데이터를 해석하고 이에 따라 조치를 취할 수 있게 되었다.

자율 시스템: AI의 발전으로 인해 인간의 개입 없이 복잡한 작업을 수행할 수 있는 차량 및 드론을 포함한 자율 시스템이 탄생했다.

2. 경제적 영향

고용 시장 혁신: AI는 일상적인 작업을 자동화하여 일부 부문에서는 일자리 대체를 가져오는 동시에 다른 부문, 특히 AI 개발, 데이터 분석, AI 시스템 유지 관리 분야에서는 새로운 기회를 창출한다.

생산성 향상: AI 기반 자동화는 효율성과 생산성을 향상시켜 제조, 공급망 관리 및 서비스 제공에 큰 영향을 미칩니다.

비즈니스 모델 혁신: AI는 특히 개인화된 마케팅, AI 기반 분석 서비스, AI 도구용 구독 기반 모델과 같은 영역에서 새로운 비즈니스 모델을 가능하게 한다.

3. 사회적 및 윤리적 영향

윤리적 우려: AI는 개인 정보 보호, 편견, 책임에 대한 윤리적 질문을 제기한다. AI가 윤리적으로 개발되고 사용되도록 보장하는 것이 주요 초점 영역이다.

디지털 격차: AI 기술의 고르지 못한 분포는 기술이 발전된 지역과 기술이 뒤처지는 지역 또는 커뮤니티 간의 격차가 확대될 위험이 있다.

개인 정보 보호에 대한 영향: 감시 및 데이터 분석에 AI를 사용하면 개인 정보 보호 권리와 개인 데이터 오용 가능성에 대한 우려가 제기된다.

4. 문화적 변화

인간-기계 상호 작용: 일상 생활에서 AI의 확산이 증가함에 따라 사람들이 기술과 상호 작용하는 방식이 바뀌고 있으며 이는 새로운 사회적 규범과 관행으로 이어진다.

창의 산업: AI는 예술, 음악, 콘텐츠 제작 등의 창의적인 프로세스에 사용되어 창의성에 대한 전통적인 개념에 도전하고 있다.

5. 헬스케어 혁명

의료 진단 및 치료: AI 알고리즘은 진단 정확도와 맞춤형 치료 계획을 크게 향상시킵니다.

약물 발견: AI는 신약 발견 과정을 가속화하여 새로운 약품 개발에 소요되는 시간과 비용을 줄이다.

6. 교육에 미치는 영향

맞춤형 학습: AI는 개별 학생의 요구와 속도에 맞춰 학습 자료

를 조정하여 맞춤화 된 교육 경험을 제공한다.

접근성: AI 도구는 자동화된 전사 및 언어 번역과 같은 기술을 통해 교육, 특히 장애가 있는 학생의 접근성을 향상시킨다.

7. 자동차 및 운송

자율주행차: 자율주행차의 개발은 교통에 혁명을 일으키고 잠재적으로 사고를 줄이고 교통 효율성을 향상시킬 것을 약속한다.

물류 최적화: AI는 물류 및 공급망을 최적화하는 데 사용되고 있어 상품 운송의 효율성을 높이고 있다.

8. 환경에 미치는 영향

기후 변화 및 지속 가능성: AI는 에너지 사용 최적화부터 기후 시스템 모델링, 재생 에너지 기술 개발 지원에 이르기까지 기후 변화에 대처하는 역할을 하고 있다.

9. 글로벌 역학

국제 경쟁: AI 우위를 위한 경쟁은 AI 연구 및 개발에 대한 주요 국가의 상당한 투자와 함께 글로벌 경제 및 정치 역학을 형성하고 있다.

규제 및 정책: AI 기술의 글로벌 특성은 기존 규제 프레임워크에 도전하고 있으므로 AI 거버넌스에 대한 국제 협력이 필요하

다.

10. 향후 전망

지속적 학습 및 AGI: 향후 개발에는 지속적인 학습 및 적응이 가능한 AI 시스템과 AGI(인공일반지능)의 장기적인 추구가 포함될 수 있다.

다른 기술과의 통합: AI는 블록체인, 사물 인터넷(IoT), 양자 컴퓨팅과 같은 다른 기술과 점점 더 통합될 것으로 예상된다.

AI 혁신은 사회와 산업의 구조를 심오한 방식으로 재편하는 광범위하고 지속적인 프로세스이다. 이는 기회와 과제를 모두 가져오므로 위험을 완화하고 공평하고 윤리적인 사용을 보장하는 동시에 이점을 활용하려면 신중한 탐색이 필요하다.

AI 혁신의 전체적인 영향은 향후 수십 년 동안 전개될 것이며, 거대한 혁신을 만들어낼 것이다.

3장

생성형 AI 도구 27개 활용법 총정리

01
텍스트 생성 도구

- 생성형AI의 시작, ChatGPT

자, 이제 생성형 AI 도구를 이용하여 다양하게 AI를 활용해보자.

먼저, https://chat.openai.com 에 접속하여 로그인을 한다. 지메일 계정을 가지고 있으면 간편하게 바로 로그인할 수 있다. (없으면 이 기회에 지메일 계정을 하나 만들자)

아래와 같은 화면이 나올 것이다.

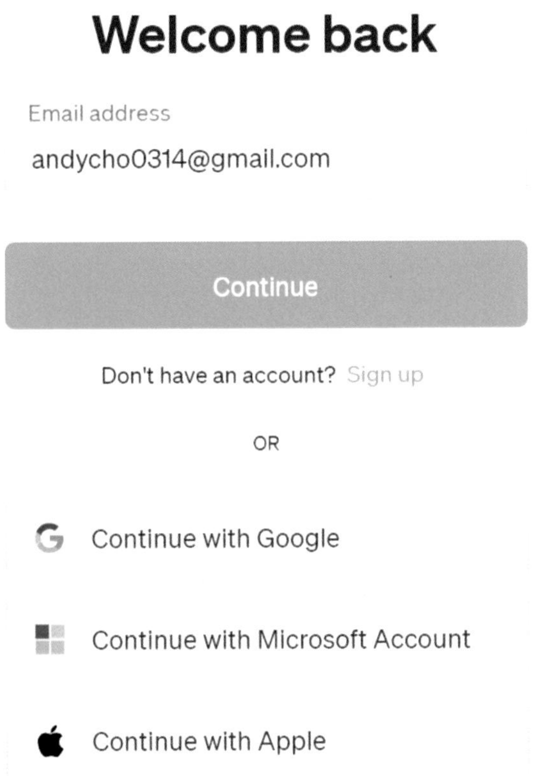

Welcome back

Email address

andycho0314@gmail.com

Continue

Don't have an account? Sign up

OR

Continue with Google

Continue with Microsoft Account

Continue with Apple

GPT-4를 선택한다.

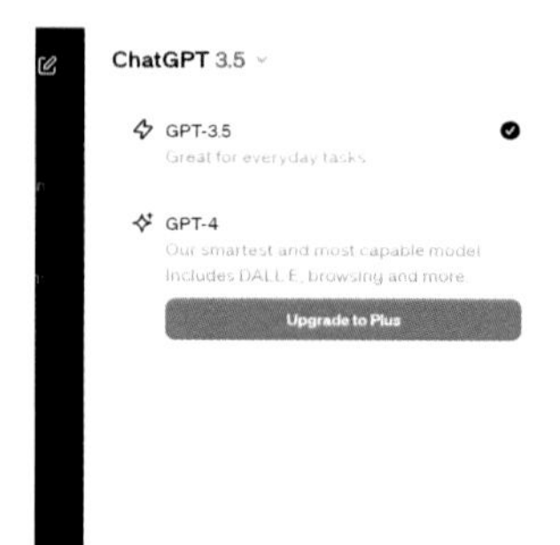

GPT-4를 이용하기 위해서는 월 20$를 지불해야 한다. GPT-4는 23년 4월까지의 정보를 제공해준다. 혹시, 무료버전을 이용하고 싶으면 GPT3.5 (21년 정보까지 제공) 을 사용하거나, 다음에 소개할 뤼튼을 사용하면 된다.

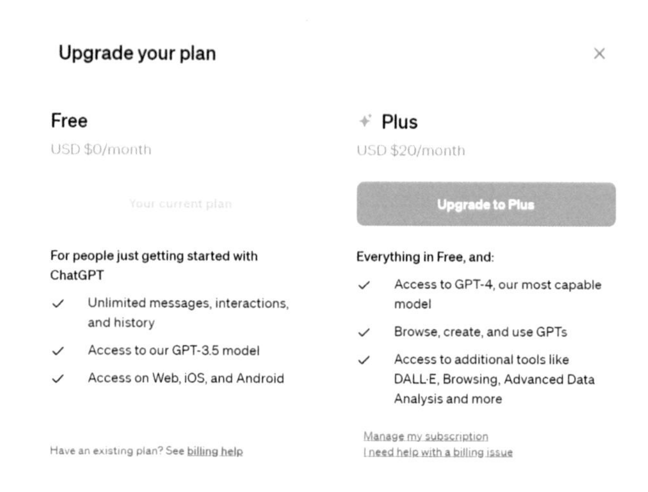

Payment successful

You've been upgraded to ChatGPT Plus

Continue

숏폼 컨텐츠 용으로 사용할 음성 대본을 작성해 달라고 GPT에게 요청해 보자.

How can I help you today?

Design a database schema
for an online merch store

Make a content strategy
for a newsletter featuring free local weekend events

Plan a trip
to explore the nightlife scene in Bangkok

Create a content calendar
for a TikTok account

너는 메이크업 전문가야.
나는 메이크업 관련 영상을 만들려고 해.
내 타깃은 30세-40세 전문직 여성이야.
세련된 메이크업 방법이나 꿀팁 3가지만 소개해줘.
숏폼 컨텐츠 영상으로 만들 거야. 1분 분량으로 짧지만 핵심만 간결하게 반말로 스크립트 작성해줘.

그럼 다음과 같이 결과물을 생성해 준다.

ChatGPT

30세에서 40세 전문직 여성을 위한 세련된 메이크업 팁을 짧고 핵심적인 스크립트로 작성해보겠습니다. 이 스크립트는 1분 분량의 숏폼 컨텐츠에 적합하도록 구성될 거야.

💥 안녕! 바쁜 전문직 여성들을 위한 메이크업 꿀팁 가져왔어! 단 1분이면 돼. 집중해!

1️⃣ **베이스는 가볍게!**: 피부톤에 맞는 BB크림이나 틴트 모이스처라이저 사용하자. 두껍게 바르지 말고, 손가락으로 톡톡 두드려 흡수시켜. 자연스러운 광채가 생긴단다.

2️⃣ **눈매는 또렷하게!**: 갈색 아이라이너로 눈매를 정의해. 짙은 색보다는 자연스러운 갈색을 추천해. 눈꼬리는 살짝 올려 그려주면, 더욱 세련된 느낌!

3️⃣ **입술은 생기 있게!**: 너무 강한 색보다는 MLBB(내 입술보다 좋은) 색상의 립스틱을 바르자. 입술 중앙에 포인트를 주고, 손가락으로 경계를 흐려주면 자연스럽고 세련된 입술 완성!

⏰ 바쁜 아침, 이 세 가지만 기억하면 돼. 간단하면서도 전문적인 룩, 완성! 다음에 또 만나. 안녕!

이 스크립트는 짧지만 전문직 여성들이 쉽게 따라 할 수 있는 메이크업 팁을 담고 있어. 화면 전환과 함께 각 단계를 시각적으로 보여주면 더 효과적일 거야!

어떤가. 순식간에 만든 스크립트 치고는 매우 높은 퀄리티를 가지고 있다. 명확한 맥락과 구체적인 상황, 조건을 명시할 수록 더욱 수준이 높은 결과물을 얻게 될 것이다.

무료 ChatGPT, 뤼튼

ChatGPT는 월 요금을 결제하고 사용해야 한다. 하지만, ChatGPT4, Turbo까지 무료로 제공하는 도구가 있다. 바로 뤼튼이다.

먼저, https://wrtn.ai에 접속한다.

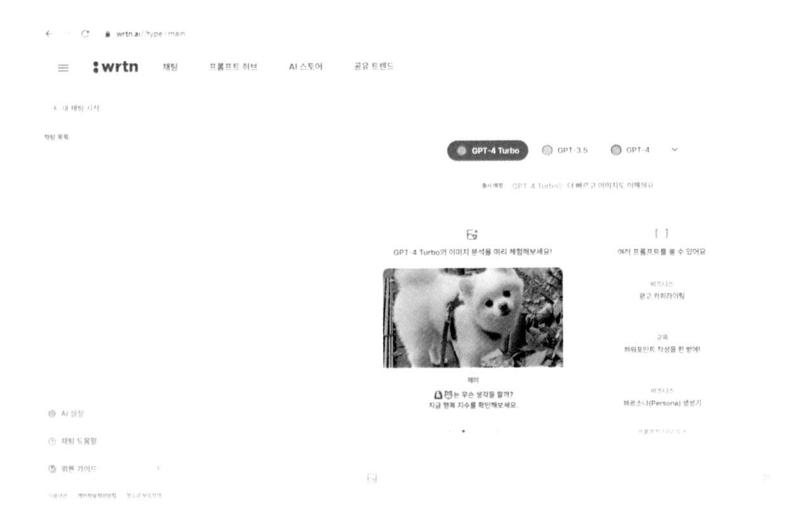

사이트의 모든 기능을 무료로 이용할 수 있다.

이미지를 업로드하고 이미지 분석 기능도 제공한다.

샘플 프롬프팅도 제공하고 있기 때문에, 샘플을 참고하여 프롬프팅을 작성할 수 있다.

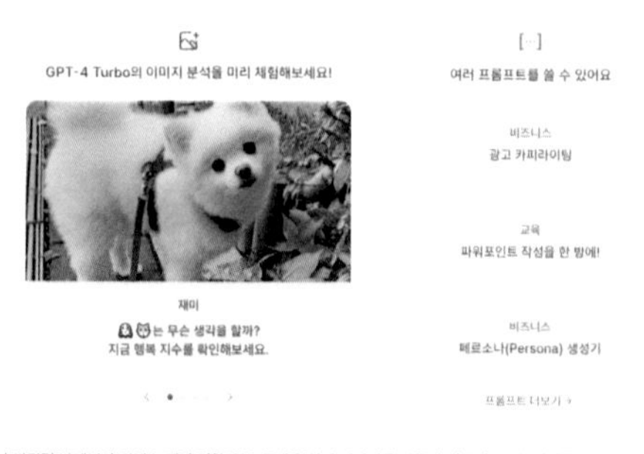

넌 디지털 마케팅과 컨텐츠 제작 전문가로, 고객 중심의 이야기를 만들어 내야해. 많은 기업들이 고객 이야기를 통해 제품/서비스를 어필할 수 있도록 도와야해. 너의 임무는 [[제품/서비스 이름: 포도맛 젤리]]에 대한 매력적인 광고 문구와 라이팅 자료를 만드는 거야. 내 [[회사 이름: 하리보]]와 [[대상: 초등학생 및 부모]]를 꼭 포함해서 작성해. 너의 대답은 독자의 관심을 끌 수 있는 강력한 헤드라인과 후킹 문구가 있어야해. 200자 이내로 답을 작성해줘.

다음과 같이 프롬프팅의 설명과 조건을 참조하여 답을 작성한다.

넌 디지털 마케팅과 컨텐츠 제작 전문가로, 고객 중심의 이야기를 만들어 내야해. 많은 기업들이 고객 이야기를 통해 제품/서비스를 어필할 수 있도록 도와야해. 너의 임무는 [[제품/서비스 이름: 포도맛 젤리]]에 대한 매력적인 광고 문구와 라이팅 자료를 만드는 거야. 내 [[회사 이름: 하리보]]와 [[대상: 초등학생 및 부모]]를 꼭 포함해서 작성해. 너의 대답은 독자의 관심을 끌 수 있는 강력한 헤드라인과 후킹 문구가 있어야해. 200자 이내로 답을 작성해줘.

조성민의 어시스턴트 GPT-3.5

하리보의 포도맛 젤리, 초등학생과 부모 모두를 사로잡는 매력적인 광고 문구를 만들어보겠습니다.

1. "포도의 신비와 맛의 향연, 하리보 포도맛 젤리! 초등생과 부모 모두를 위한 최고의 선택!"
2. "매력 넘치는 포도의 세계, 하리보 포도맛 젤리로 초등생과 부모들의 입맛을 사로잡아 보세요!"
3. "하리보가 선사하는 포도의 신세계! 초등생과 부모들이 반할 포도맛 젤리를 지금 만나보세요!"
4. "포도의 달콤함이 가득한 하리보 포도맛 젤리! 초등생과 부모들의 사랑을 한 입에 만족시켜드립니다!"
5. "초등생과 부모들이 함께 즐기는 포도의 맛과 재미, 하리보 포도맛 젤리와 함께라면 완벽한 시간을 보낼 수 있습니다!"

위의 문구들은 초등학생과 부모들을 대상으로 하며, 포도맛 젤리의 매력과 함께 하리보의 브랜드 가치를 강조한 광고 문구입니다. 이러한 문구들을 활용하여 독자의 관심을 끌고 포도맛 젤리의 어필력을 높일 수 있을 것입니다.

다시 생성 공유

프롬프트 허브 메뉴를 통해 다양한 프롬프트를 사용하여 바로 이용할 수 있다.

- 한국어에 강하다, ClovaX

네이버에서도 자체 GPT 도구를 출시했다. 네이버 데이터를 기반으로 하다 보니, ClovaX는 한국어를 보다 잘 알아듣고, 잘 생성해 준다.

먼저, https://clova-x.naver.com에 접속한다.

CLOVA X 서비스 소개 유용한 기능 비즈니스 문의 자주 묻는 질문 새로운 소식

무한한 가능성을 여는
새로운 대화의 시작
CLOVA X

시작하기 →

ClovaX는 특이한 기능이 있다. 네이버 쇼핑, 네이버 여행 데이터를 기반으로 보다 전문적인 답변이 가능하다. 우리나라 기업이라 그런지 ChatGPT보다 한국어 특유의 표현, 방언, 표현을 잘 알아듣고 생성해 준다.

CLOVA X

상상하는 모든 것, CLOVA X와 나눠보세요.
상상하지 못했던 탐색 경험이 펼쳐집니다.

아래와 같은 프롬프트를 기재하고 답변을 요청했다.

일본 교토 여행을 가을에 1주일간 하고 싶어. 40대 성인 2명, 5세 여자아이 1명이 여행가려고 해. 비행기, 숙소, 맛집, 명소, 산책길, 쇼핑 추천을 해줘. 500자 이하로 부탁해.

아래와 같이 답변을 해준다.

일본 교토 여행을 가을에 1주일간 하고 싶어. 40대 성인 2명, 5세 여자아이 1명이 여행가려고 해. 비행기, 숙소, 맛집, 명소, 산책길, 쇼핑 추천을 해줘. 500자 이하로 부탁해.

일본 교토 여행을 계획 중이시군요! 가을에 1주일간 가족과 함께 즐길 수 있는 여행 코스를 추천해 드리겠습니다.

1. 비행기: 대한항공, 아시아나항공, 제주항공 등의 항공사가 운항하고 있습니다. 출발 시간과 도착 시간을 고려하여 적절한 항공편을 선택하시면 됩니다.
2. 숙소: 교토역 주변이나 기온 거리 주변에 위치한 호텔이나 게스트하우스를 추천합니다.
3. 맛집: 교토는 일본의 전통 음식인 우동, 라멘, 초밥 등을 맛볼 수 있는 맛집이 많습니다. 기온 거리에 위치한 '카네쇼', '스시 라쿠미', '오멘' 등을 추천합니다.
4. 명소: 교토는 일본의 역사와 문화를 느낄 수 있는 명소가 많습니다. 대표적인 명소로는 기요미즈데라, 금각사, 은각사, 후시미이나리 신사 등이 있습니다.
5. 산책길: 교토는 산책하기 좋은 곳이 많습니다. 대표적인 산책길로는 아라시마야 강변길, 철학의 길, 니넨자카, 산넨자카 등이 있습니다.
6. 쇼핑: 교토는 전통적인 일본의 문화와 현대적인 감각이 어우러진 쇼핑 거리가 많습니다. 대표적인 쇼핑 거리로는 기온 거리, 시조 거리, 가와라마치 거리 등이 있습니다.

위의 추천 코스를 참고하여 일본 교토 여행을 즐기시면 좋을 것 같습니다. 즐거운 여행 되세요!

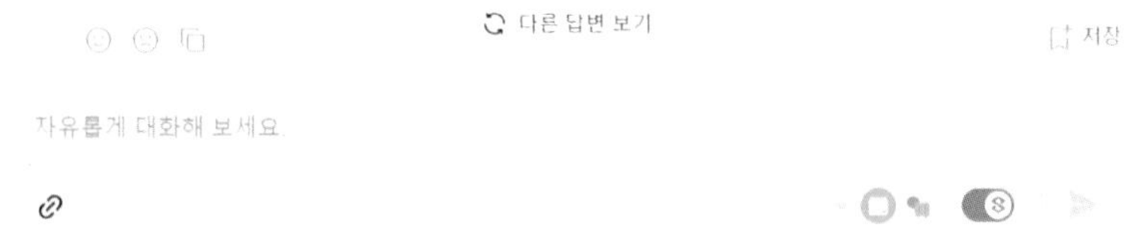

02
이미지, 동영상, 사운드 생성 도구

- 로고생성 무료AI, ideogram.ai

브랜드 로고 디자인, 새로운 로고 디자인이 필요하다면? 5분만에 나만의 로고 디자인을 창작해보자.

먼저, ideogram.ai로 접속한다.

다음처럼, 초기 구글아이디로 로그인하라는 페이지가 나온다.

사용할 아이디를 적는 란이 나온다. 본인의 아이디를 아무거나 정해서 넣어준다.

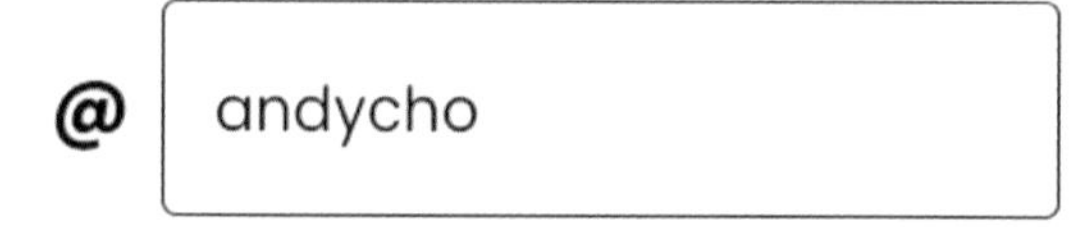

등록을 하면 아래와 같이 첫 화면이 등장한다.

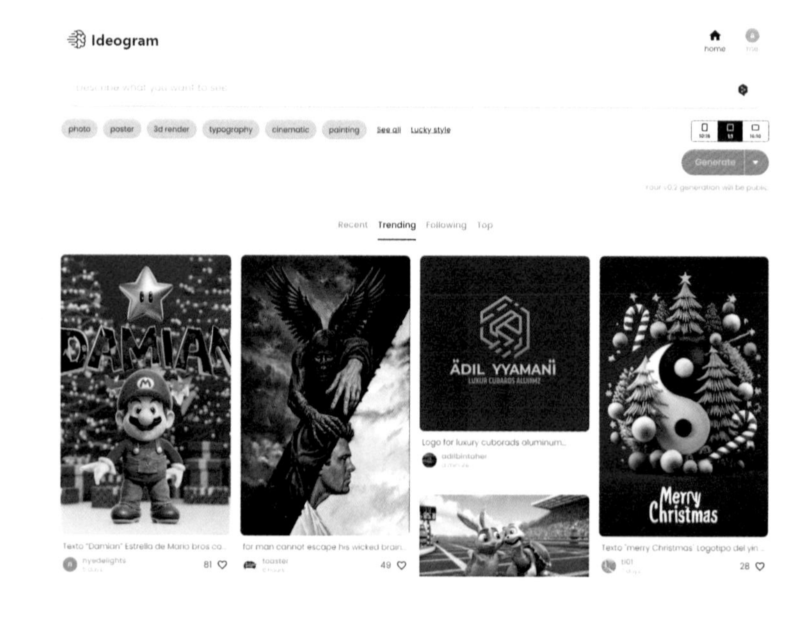

내가 원하는 디자인을 프롬프팅에서 적어주면 해당 디자인을 생성해준다.

예시로, Create a disney pixar movie poster titled korea journey with a brunette girl standing in the field wearing a real madrid soccer uniform and in the back of the t shirt it is written mariam with the number 7 on it , poster, 3d render 라고 프롬프트를 작성했다.

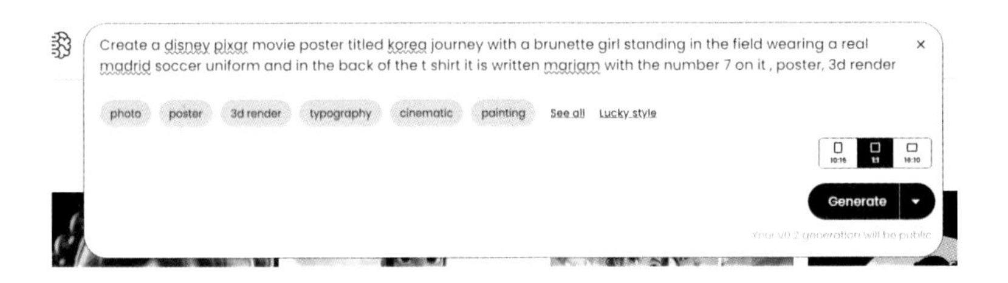

그리고, 이미지 생성 버튼을 누르면 아래와 같은 다양한 이미지가 생성된다. 원하는 이미지를 선택하고 다운받아서 사용하면 된다.

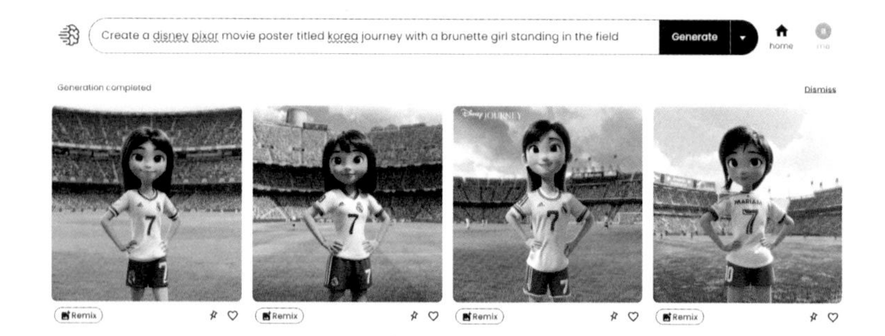

프롬프트를 작성할 때, 꼭 영어로 작성해야 하는 것은 아니지만, 영어로 작성해야 오류 없이 이용하기 편하다. 영어가 어렵다면 한국어로 구글 번역기나 딥엘(deepl.com) 번역기를 통해 한국어를 영어로 번역하여 프롬프트에 넣어주면 된다.

다른 사람이 만든 다양한 이미지도 있으니, 참고해서 원하는 로고나 이미지를 5분만에 만들어 보자.

- 스크립트 음성 더빙, 클로바 AI 더빙

GPT로 스크립트를 제작하고 이것을 클로바AI를 통해 실제 음성으로 합성해보자. 합성한 결과물은 바로 다운로드 가능하고 본인이 원하는 이미지를 더하여 10분만에 내가 만든 스크립트를 읽어주는 더빙과 함께 1분 숏츠 영상을 제작할 수 있다.

스크립트는 앞서 GPT에서 사용한 스크립트를 사용하겠다.

이렇게 스크립트를 GPT에게 생성하게 한다.

How can I help you today?

Design a database schema
for an online merch store

Make a content strategy
for a newsletter featuring free local weekend events

Plan a trip
to explore the nightlife scene in Bangkok

Create a content calendar
for a TikTok account

너는 메이크업 전문가야.
나는 메이크업 관련 영상을 만들려고 해.
내 타깃은 30세-40세 전문직 여성이야.
세련된 메이크업 방법이나 꿀팁 3가지만 소개해줘.
숏폼 컨텐츠 영상으로 만들 거야. 1분 분량으로 짧지만 핵심만 간결하게 반말로 스크립트 작성해줘.

아래 내용을 가지고 음성 더빙을 입혀 보겠다.

ChatGPT

30세에서 40세 전문직 여성을 위한 세련된 메이크업 팁을 짧고 핵심적인 스크립트로 작성해보겠습니다. 이 스크립트는 1분 분량의 숏폼 컨텐츠에 적합하도록 구성될 거야.

✨ 안녕! 바쁜 전문직 여성들을 위한 메이크업 꿀팁 가져왔어! 단 1분이면 돼. 집중해!

1 **베이스는 가볍게!**: 피부톤에 맞는 BB크림이나 틴트 모이스처라이저 사용하자. 두껍게 바르지 말고, 손가락으로 톡톡 두드려 흡수시켜. 자연스러운 광채가 생긴단다.

2 **눈매는 또렷하게!**: 갈색 아이라이너로 눈매를 정의해. 짙은 색보다는 자연스러운 갈색을 추천해. 눈꼬리는 살짝 올려 그려주면, 더욱 세련된 느낌!

3 **입술은 생기 있게!**: 너무 강한 색보다는 MLBB(내 입술보다 좋은) 색상의 립스틱을 바르자. 입술 중앙에 포인트를 주고, 손가락으로 경계를 흐려주면 자연스럽고 세련된 입술 완성!

⏰ 바쁜 아침, 이 세 가지만 기억하면 돼. 간단하면서도 전문적인 룩, 완성! 다음에 또 만나. 안녕!

이 스크립트는 짧지만 전문직 여성들이 쉽게 따라 할 수 있는 메이크업 팁을 담고 있어. 화면 전환과 함께 각 단계를 시각적으로 보여주면 더 효과적일 거야!

클로바AI에 접속한다.

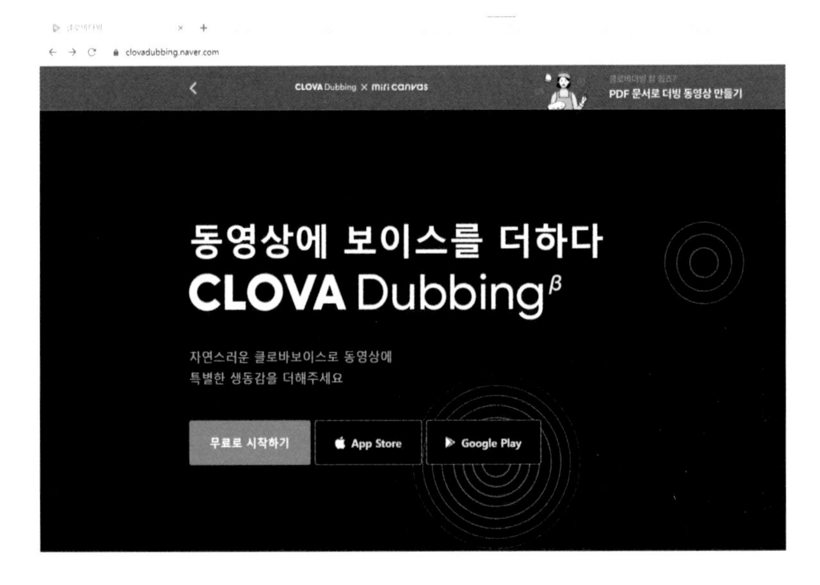

클로바 더빙은 텍스트 뿐만이 아니라, PDF를 사용하여 더빙을 제작할 수도 있다.

무료로 시작하기를 클릭한다.

이런 순서로 진행한다.

메이크업더빙으로 프로젝트를 생성한다.

속도와 높낮이, 볼륨, 특수효과도 설정할 수 있다.

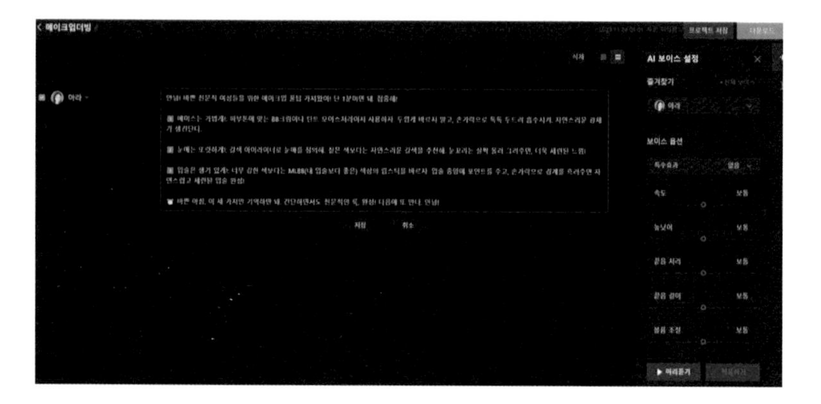

미리 들어보고 오른쪽 상단 다운로드 버튼을 클릭하여 더빙 파일을 다운받으면 된다.

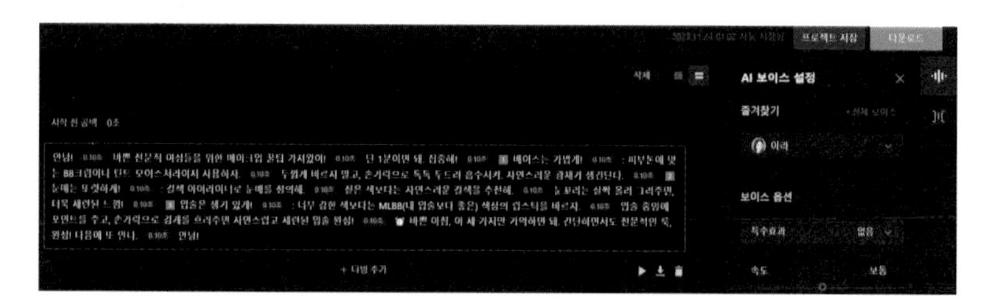

- AI가 시선을 교정해준다, captions.ai

시선을 카메라에 고정하지 않고 대본을 보고 읽은 동영상이 있다고 하자. 내 시선만 카메라를 보고 얘기하는 것처럼 수정할 수는 없을까? AI가 처리해준다.

먼저, captions.ai에 접속한다.

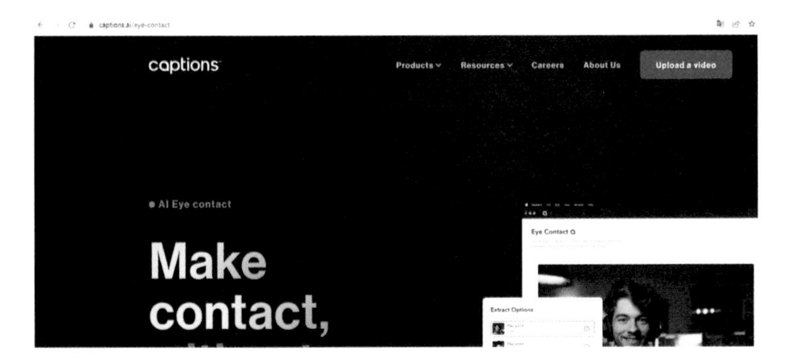

촬영한 동영상을 업로드한다.

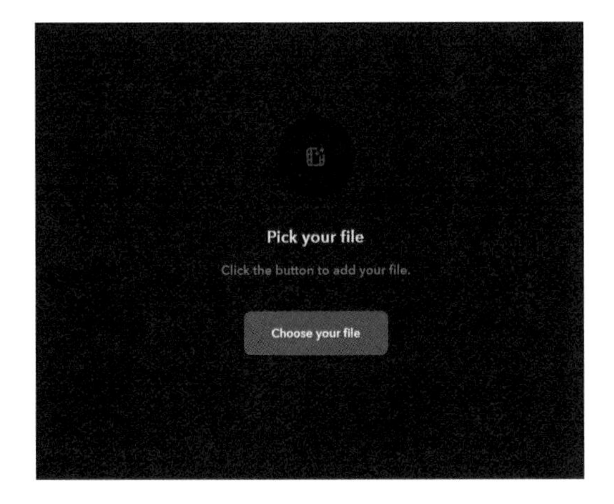

아래처럼 시선이 카메라를 보는 것처럼 자연스럽게 처리되어 있음을 알 수 있다.

다운로드를 받으면 된다.

- 원하는 장면 AI가 만들어준다, pika.art

Pika.art에 접속한다.

디스코드에 바로 접속할 수 있다.

아무 Generate 채널을 클릭한다.

만들고 싶은 동영상을 생각하고 /prompt 스크립트를 적는다

예를 들어, 아래처럼 프롬프트를 적는다.

Prompt: the summer sun shines through the leaves, casting dappled shadows on the pathway.

제작한 동영상은 바로 다운로드 받을 수 있다.

- 광고 이미지 생성, Capcut for Business

Capcut.com 에 접속한다.

내가 가지고 있는 이미지를 업로드 한다

내 PC에 있는 5개의 이미지를 업로드하여 자동으로 AI 동영상을 생성한다.

1 미디어 업로드 2 동영상 보기 3 편집 및 내보내기

생성

AI가 자동으로 생성되고 있다.

생성이 끝나면 아래와 같이 자동으로 동영상이 생성되며, 이미지와 어울리는 배경음악도 함께 제작되어 있다.

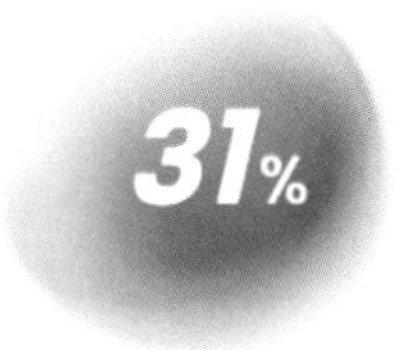

생성 중...

취소

1 미디어 업로드 — 2 동영상 보기 — 3 편집 및 내보내기

00:01 00:05

더 편집할 수도 있고 제작된 동영상을 바로 다운로드 받을 수 있다.

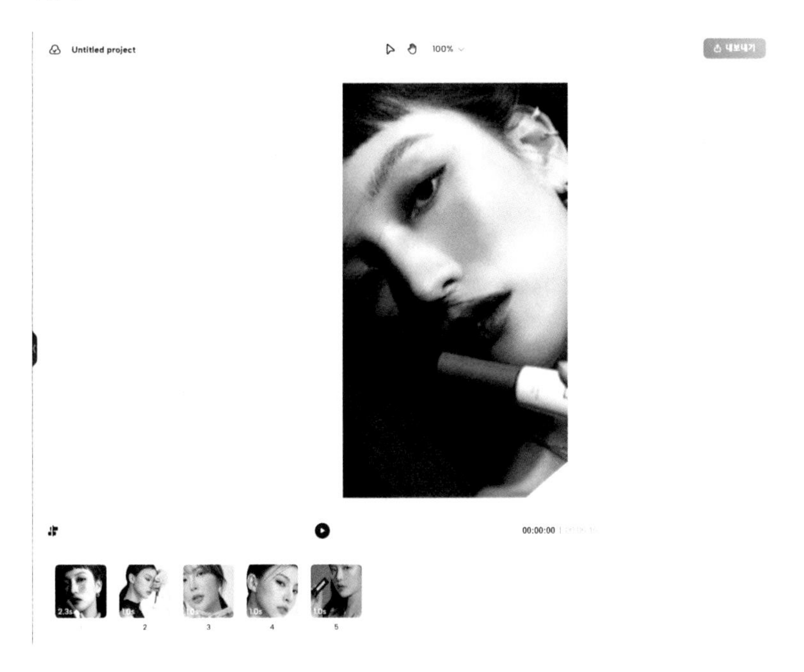

- 이미지 화질 개선, Capcut for Business

화질이 떨어지는 이미지를 개선할 필요가 있을 때 AI의 도움을 받아보자. 이 기능 역시 Capcut에서 이용할 수 있다.

마법도구 → 이미지 업스케일러를 선택한다.

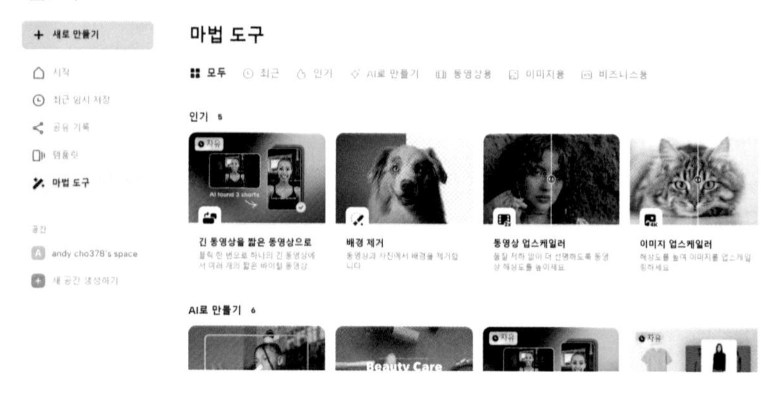

이미지를 업로드한다

Drag and drop file here

OR

No images? Try the following:

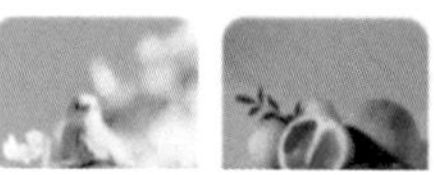

개선하고자 하는 해상도를 선택한다.

아래와 같이 화질이 개선된다.

- 오래전 사진 복원, Capcut for Business

Capcut에서는 오래된 사진 복권도 가능하다.

마법도구 → 오래된 사진 복원을 선택한다.

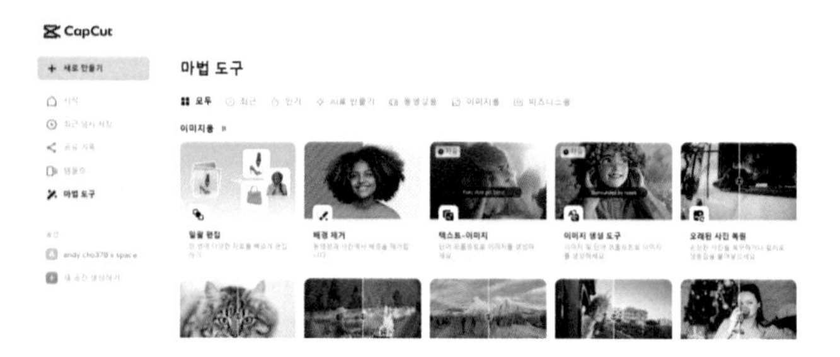

사진을 업로드한다.

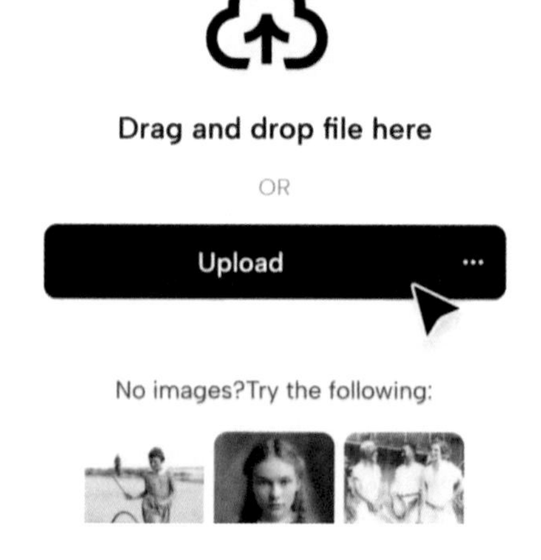

사진을 복원중이다.

복원이 완료되면 바로 다운받을 수 있다.

- 숏폼 자동 생성, opus.pro

기존 영상을 활용하여 AI로 숏폼 10개를 10분만에 만들어보자.

먼저, opus.pro에 접속한다.

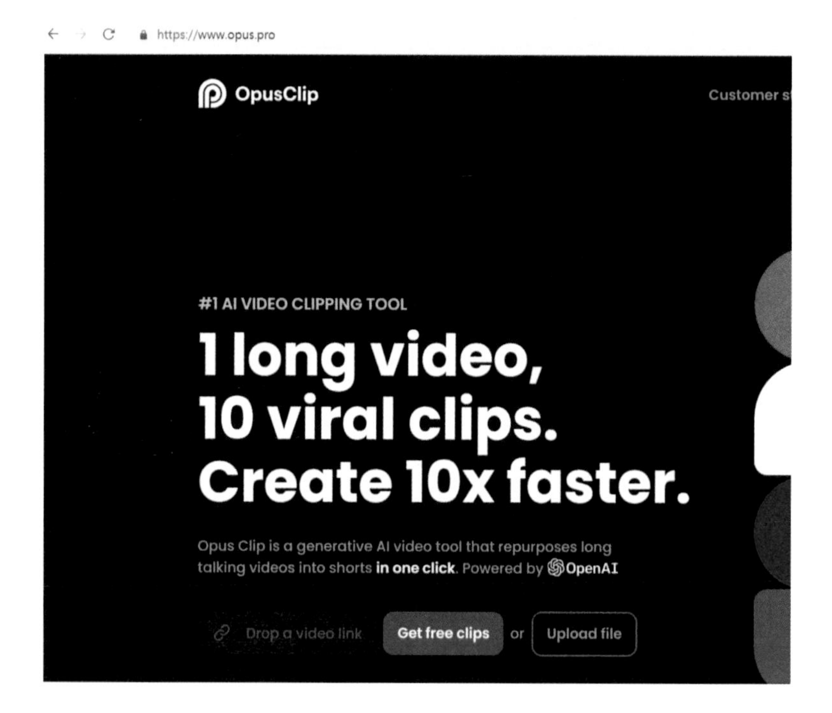

유튜브 영상 주소를 복사, 붙여넣기 한다.

작업 진행 현황, 시간이 나온다.

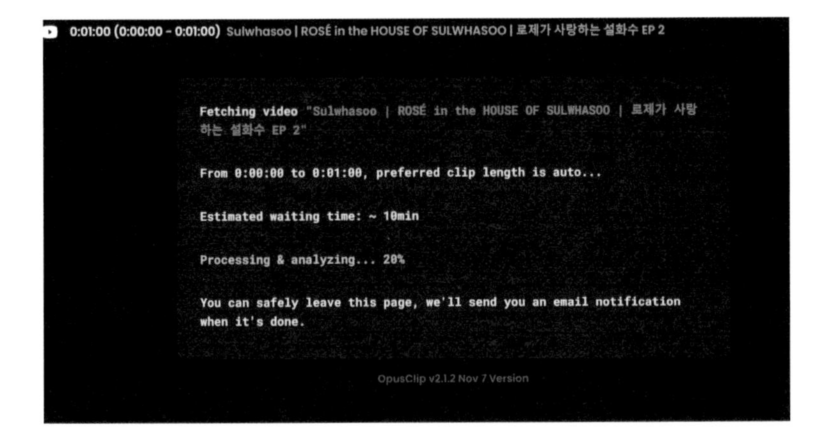

아래와 같이 숏폼이 생성된 것을 확인하고, 다운받을 수 있다.

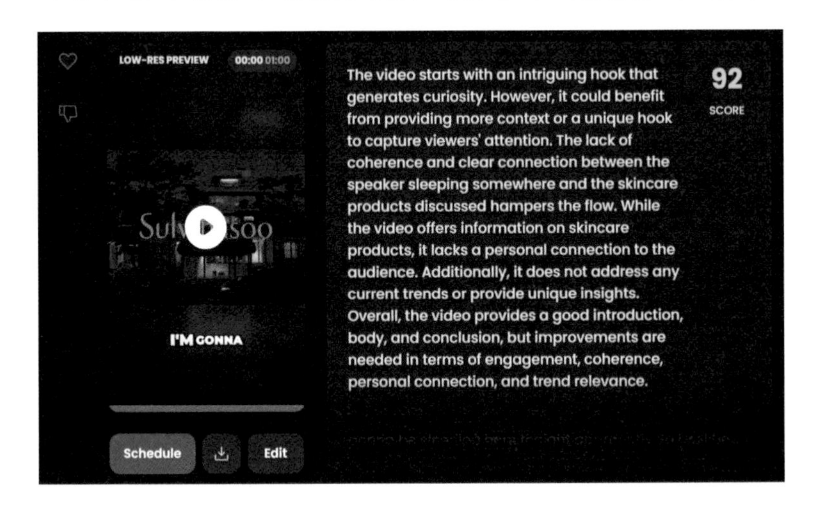

영상을 확인하고 수정이 필요하면 편집한다. 스크립트를 바로 편집할 수 있다.

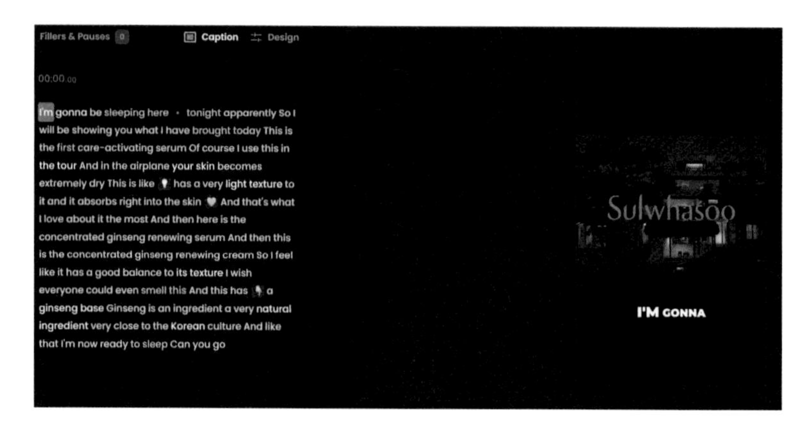

생성된 숏폼은 각종 SNS에 바로 업로드도 가능하다.

- 다른 언어 동영상 자동생성, Heygen Labs

한국어로 동영상을 하나 찍었다고 가정하자.

한국어 동영상만 있으면, 자동으로 영어, 프랑스어, 중국어, 일어, 스페인어 등등 자동으로 내가 말하는 것처럼 생성해준다면 얼마나 좋을까?

Heygen Labs에 접속하면 AI가 자동으로 이런 동영상을 만들어준다.

https://www.heygen.com 에 접속한다.

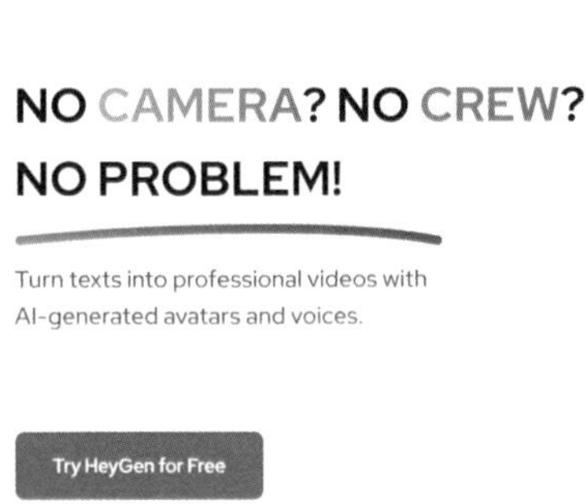

아바타를 이용하여 동영상을 제작할 수도 있고, AI스크립트를 편집할 수도 있다. 같은 스크립트여도 다양한 언어로 번역되어 아바타가 얘기하게 할 수 있다. 작업한 파일은 다운로드하여 활용할 수 있다.

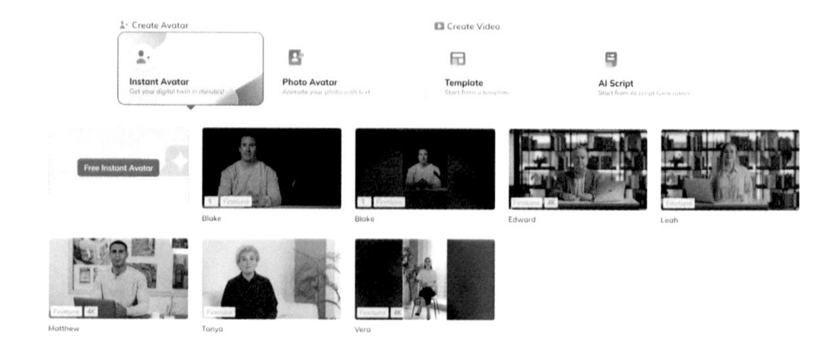

아래와 같이 동일한 동영상에 여러 개의 외국어 버전으로 입모양과 음성이 어색하지 않게 생성되는 것을 볼 수 있다.

- 간단한 사진편집, clipdrop

간단하게 이미지를 편집할 수 있는 강력한 도구이다.

https://clipdrop.co 에 접속한다. (com 이 아니고, co 다)

빈공간을 기존 사진 배경으로 채운다.

배경 이미지를 삭제할 수 있다.

색연필로 낙서처럼 간단하게 그리면 실사 화면처럼 만들어주는 기능도 있다.

두 사람의 얼굴부분만 교체가 가능하다. AI기술로 자연스럽게 작업이 된다.

조명 효과를 적용할 수 있다.

- 포토샵에 AI를 더하다. Adobe Firefly

프롬프트에 설명만 하면, 바로 이미지를 생성해준다. 한글도 아주 잘 인식한다.

아래 사진은 프롬프트에 다음과 같이 입력했다.

"밝은 주황색 빛, 바다, 상세한 얼굴, 안개, 어두운 아침 빛, 짙은 하늘색과 주황색 옆에 있는 등대 꼭대기에 있는 여성의 영화 같은 초상화"

특정 영역을 대략 선택해도 주변 배경/색상과 자연스럽게 어우러지도록 AI기술로 편집이 가능하다.

거칠게 작업한 이미지를 리터칭하여 세련되게 작업이 가능하다.

3D에서 이미지로의 변환도 가능하다.

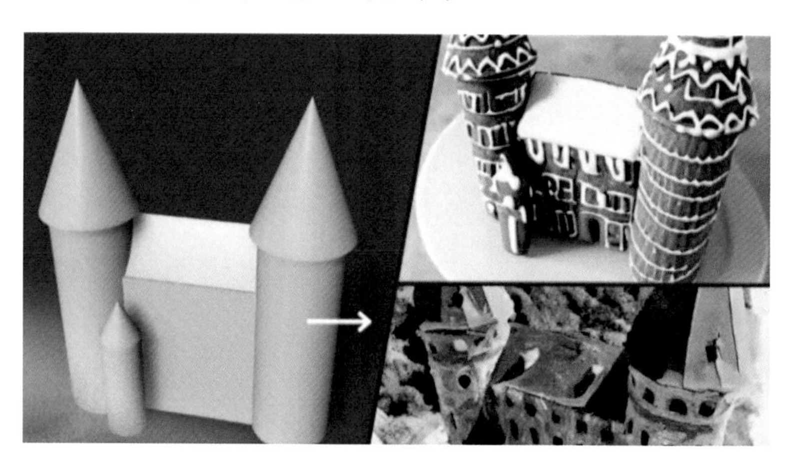

이미지 1과 2 중에서 선택할 수 도 있다.

프롬프트를 작성하여 바로 이미지를 생성한다.

스케치를 이미지로 생성할 수 도 있다.

- 이모티콘을 만들어보자. 이모지 키친

구글에서 emoji kitchen 검색하거나, emojikitchen.dev 를 접속한다. 아래와 같이 양쪽 이모티콘을 선택하면 합성이 된다.

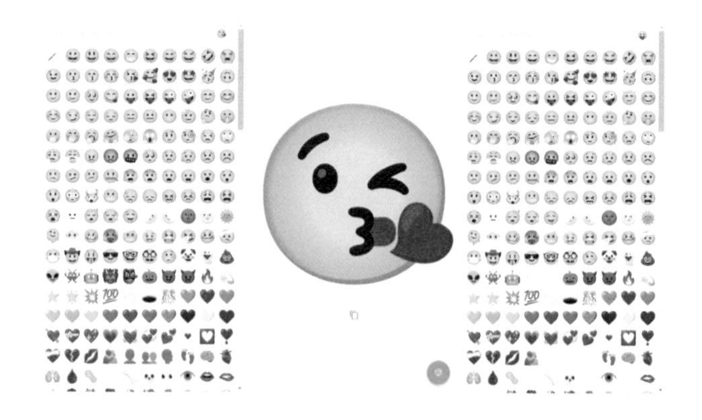

내가 원하는 이모티콘을 바로 합성해서 만들 수 있다.

- 고품질 이미지 생성, leonardo.ai/

https://app.leonardo.ai 에 접속하여 간편 로그인을 한다.

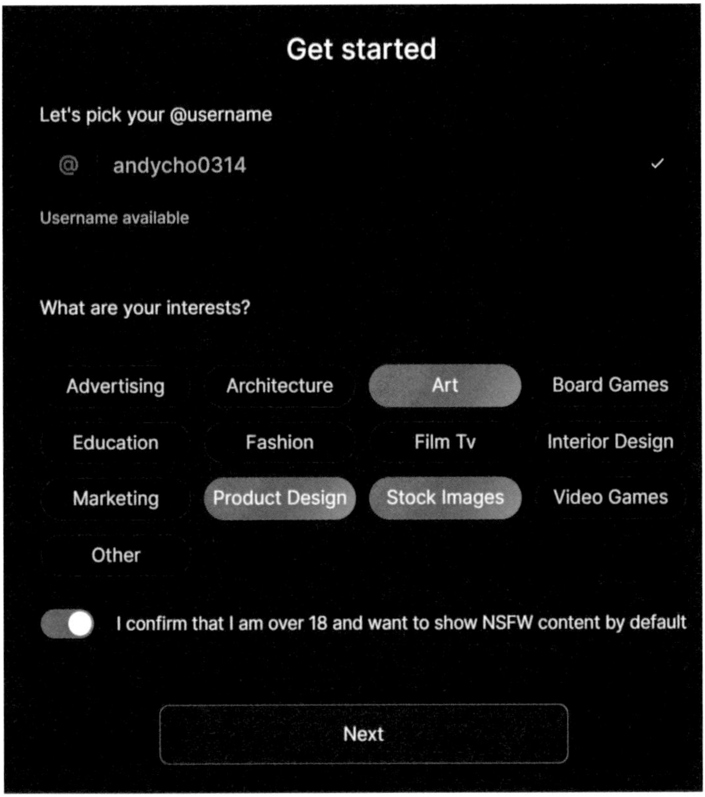

다양한 템플릿, 고품질의 이미지를 활용할 수 있다.

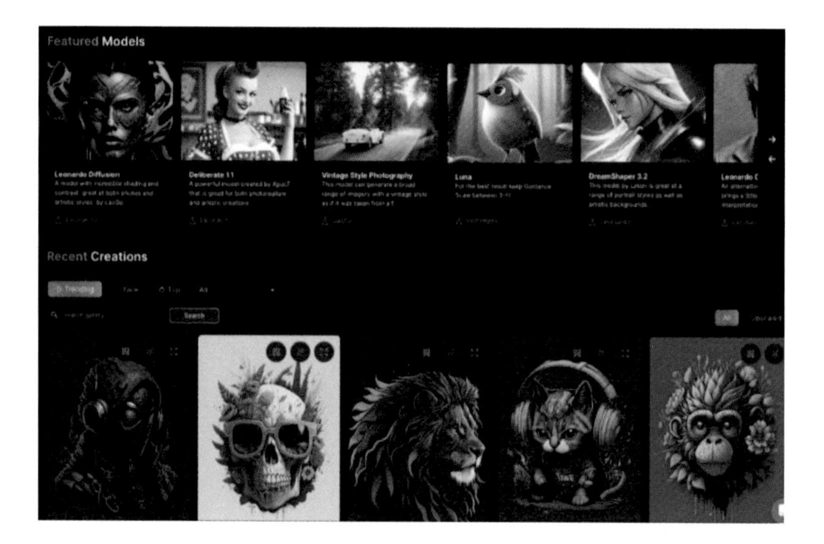

프롬프트를 통해 이미지를 생성한다.

프롬프트를 통해 새로운 배경을 확장할 수 있다.

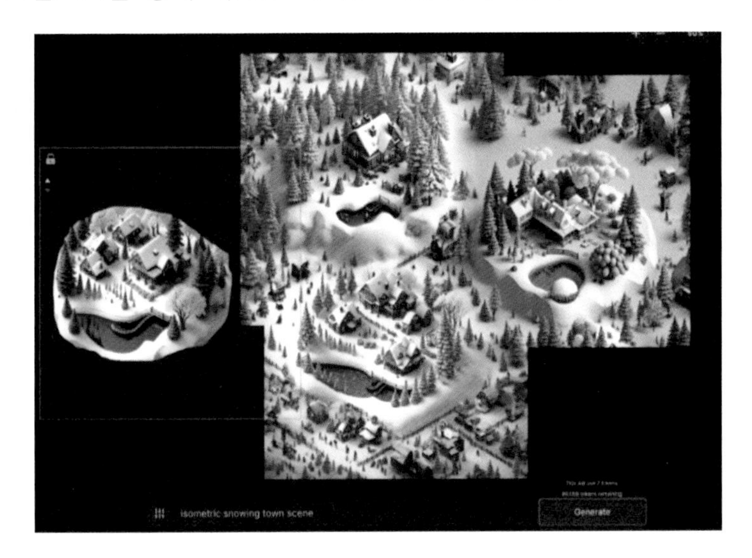

다양한 템플릿을 적용할 수 있다.

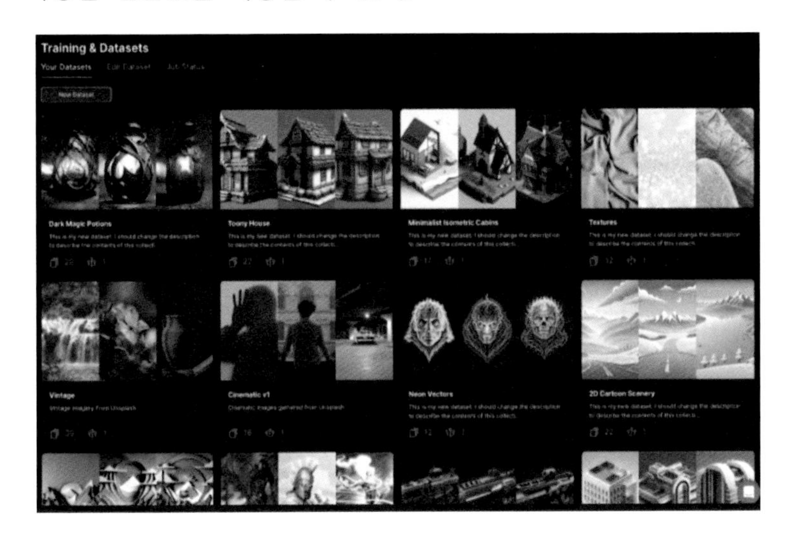

프롬프트에 대한 상세한 작성으로 고품질의 이미지 구현이 가능하다.

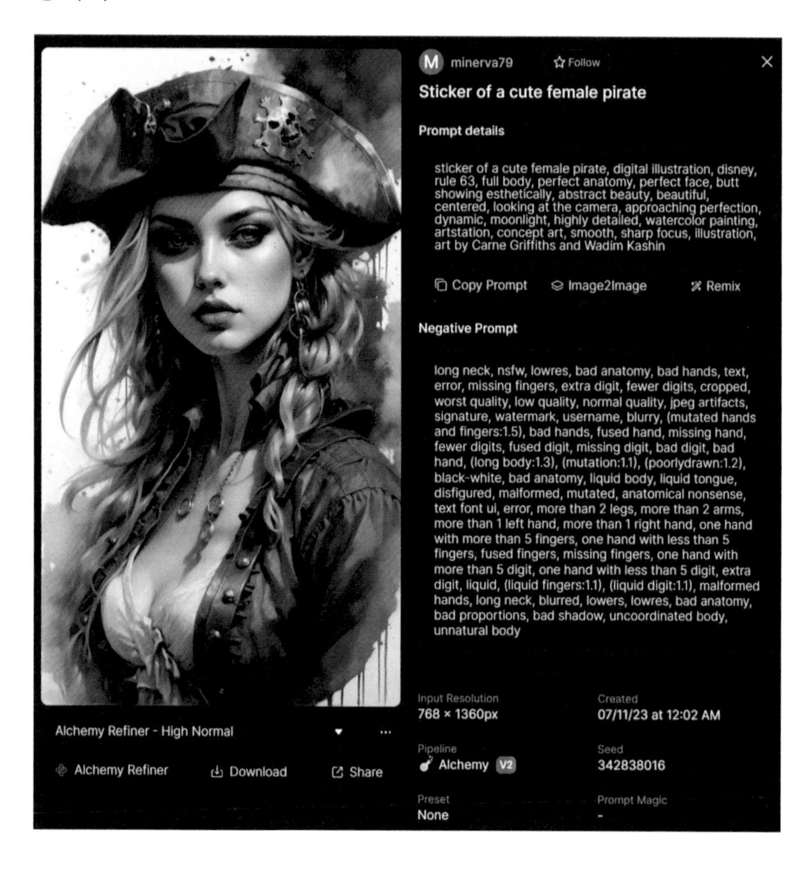

작업 한 파일은 다른 사람들과 나눌 수 있다.

- 숏츠 영상 자동생성, ai.invideo.io

https://ai.invideo.io/ 에 접속하여 간편 로그인을 한다.

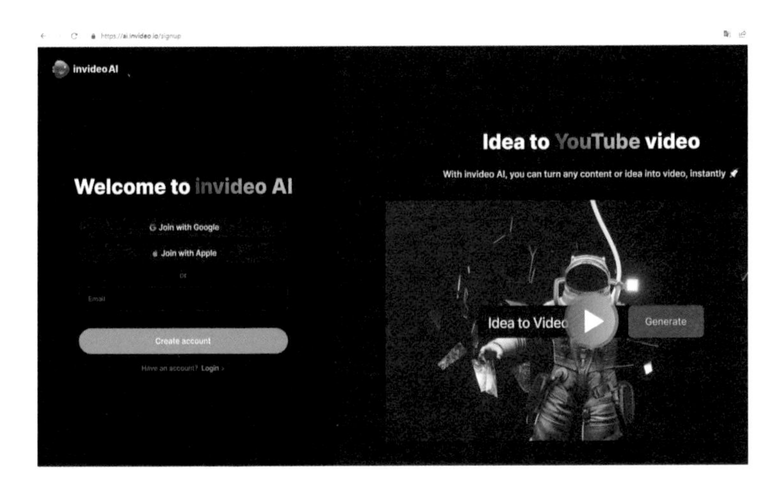

업로드를 원하는 SNS를 선택한다.

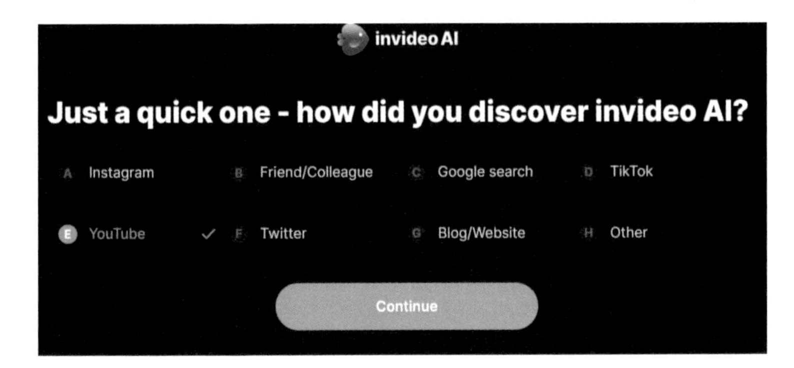

자세한 프롬프팅을 작성하여 바로 영상을 생성한다.

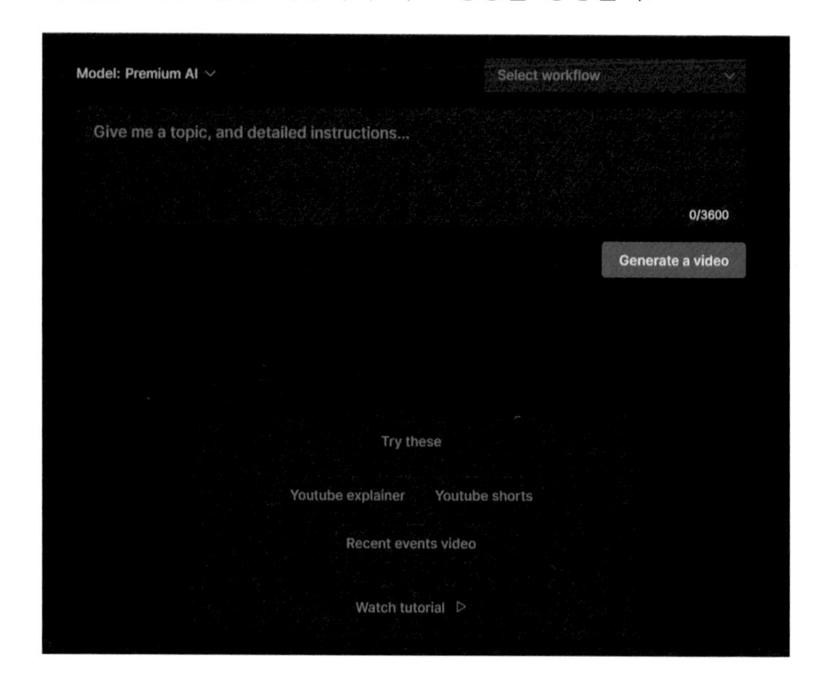

- 음질 향상, podcast AI

https://podcast.adobe.com/ 에 접속하여 Enhance Speech를 선택한다.

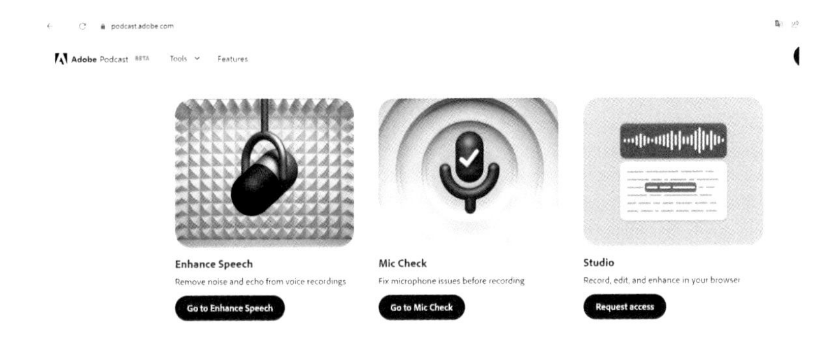

저품질의 오디오 파일을 업로드하고 고품질 오디오를 생성한다.

다운로드 받아 사용하면 된다.

- 아바타 동영상 생성 D-ID AI

https://www.d-id.com/ 에 접속하여 Enhance Speech를 선택한다.

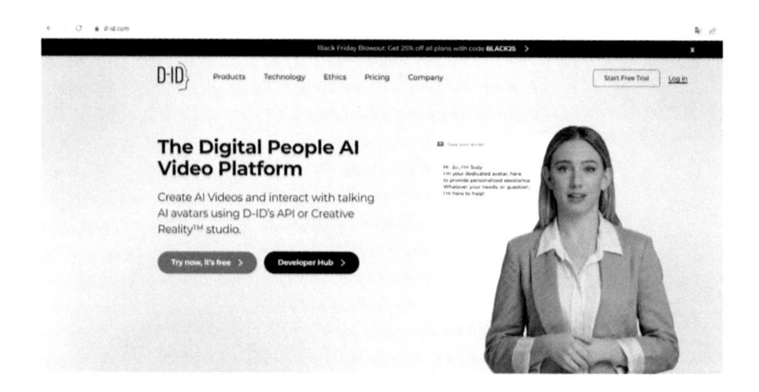

Share your story using Creative Reality™ Studio

아바타를 선택하고 스크립트를 작성한다.

비디오를 생성하면 다음 화면과 같이 바로 다운로드 받아 사용할 수 있다.

- 리얼리티 이미지 생성, Eluna.ai

https://www.eluna.ai 에 접속하여 text-to-image를 선택한다.

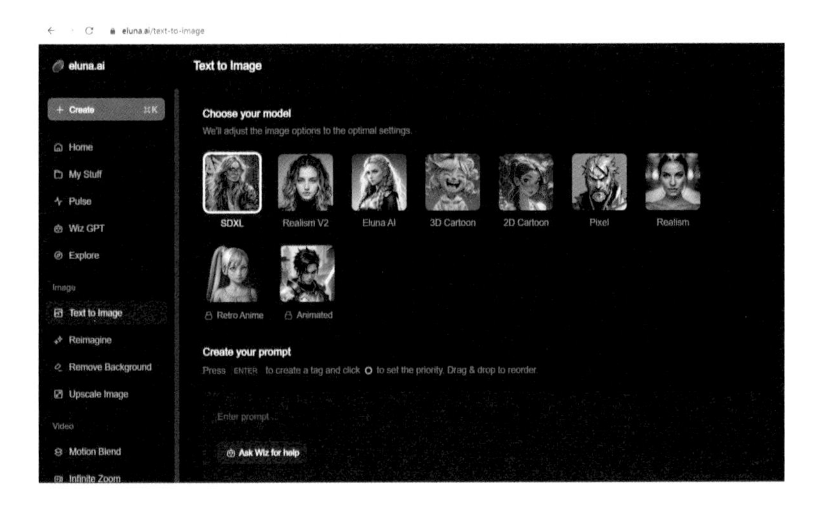

프롬프팅을 입력하여 이미지를 생성한다.

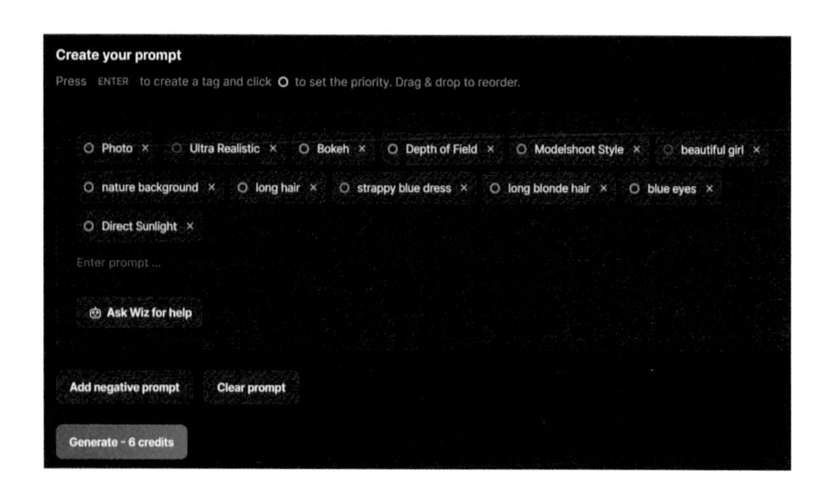

다음 화면과 같이 고품질 이미지가 생성된다.

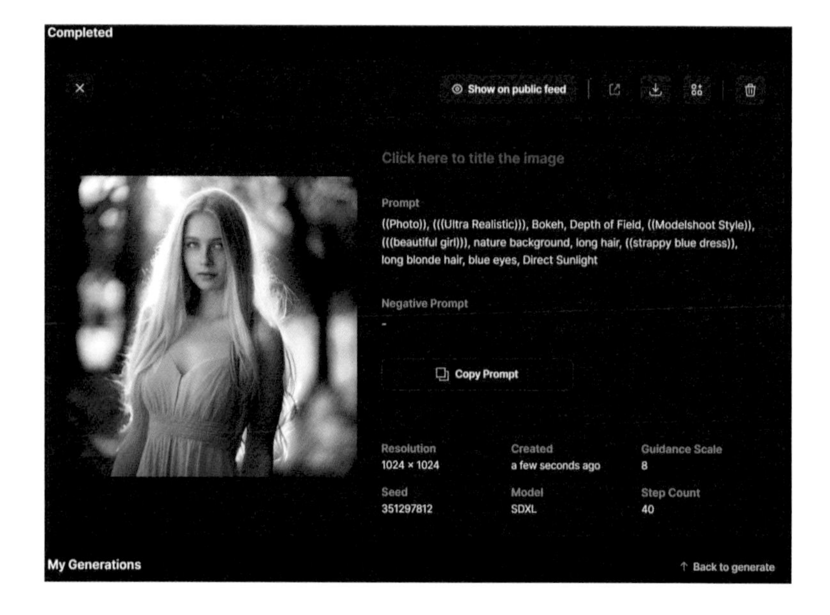

- 리얼리티 이미지 생성2, runwayml.ai

https://runwayml.com 에 접속하여 text-to-image를 선택한다

프롬프팅을 아래와 같이 작성한다.

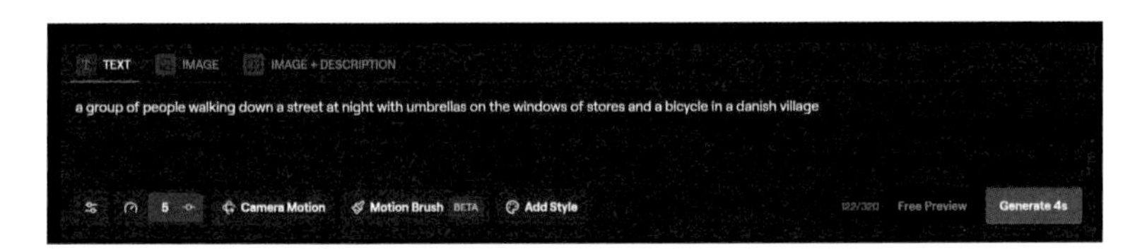

프롬프팅에 묘사한 동영상을 생성한다.

- 간편한 이미지도구, lasco.ai

https://www.lasco.ai/ 원하는 단어로 이미지를 생성해 보자.

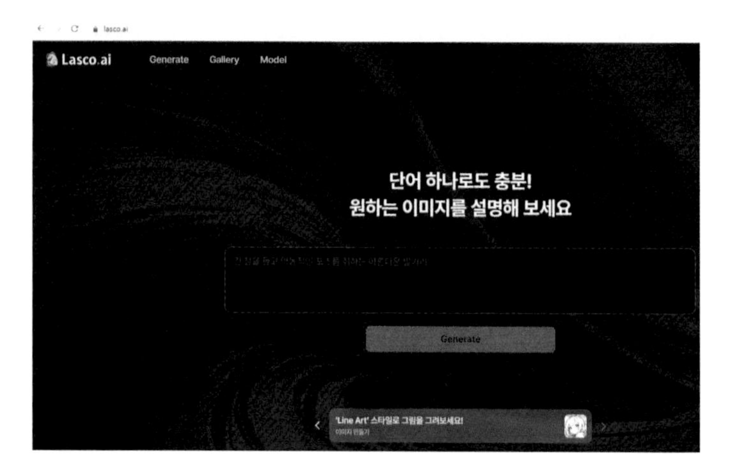

먼저 로그인을 진행한다.

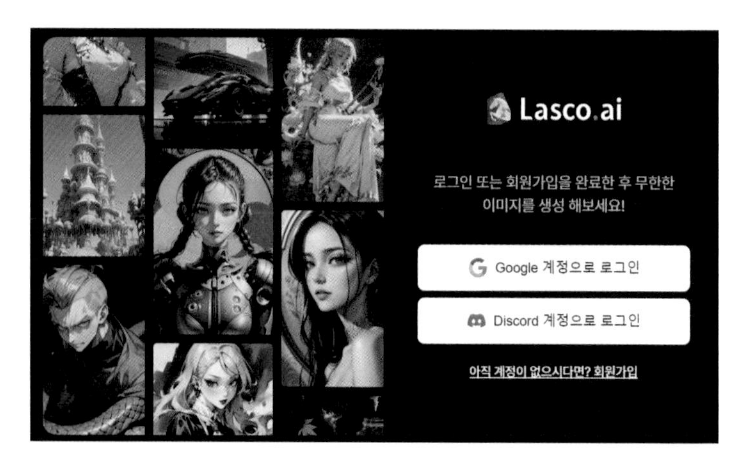

구글계정으로 로그인해보자.

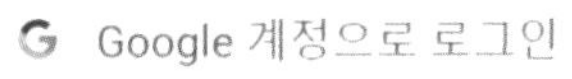

G Google 계정으로 로그인

계정 선택

lasco.ai(으)로 이동

a andy cho
andycho0314@gmail.com

다른 계정 사용

계속 진행하기 위해 Google에서 내 이름, 이메일 주소, 언어 환경설정, 프로필 사진을 lasco.ai과(와) 공유합니다.

원하는 프롬프트를 입력하고, 생성 버튼을 누른다.

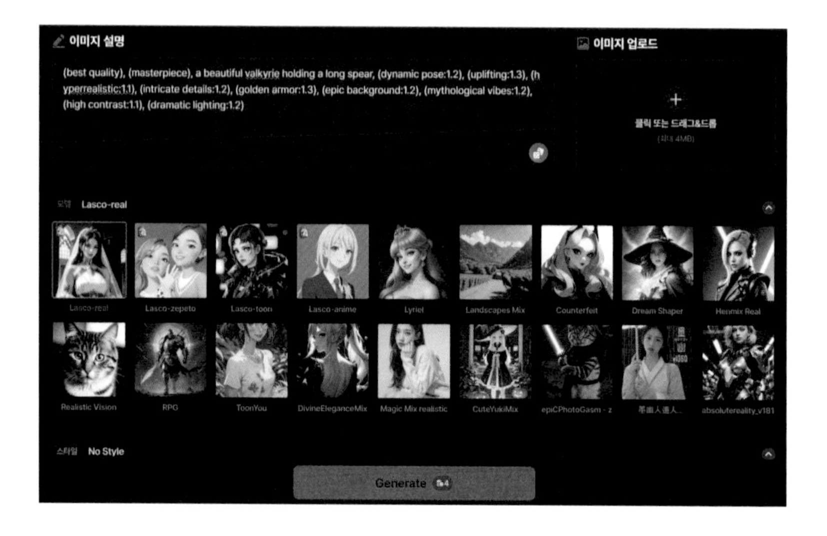

다음과 같은 이미지를 바로 생성해준다.

내가 가지고 있는 이미지를 업로드하여 이미지에 황금색 효과를 줄 수도 있다.

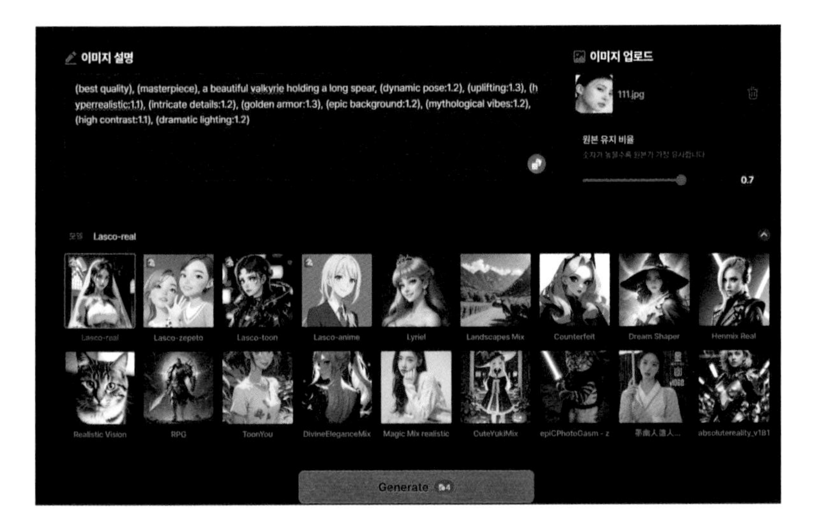

다음과 같이 생성한다.

샘플로 다양한 이미지 갤러리가 있어 프롬프트를 확인해볼 수 있다. 마음에 드는 프롬프트를 사용해 보자

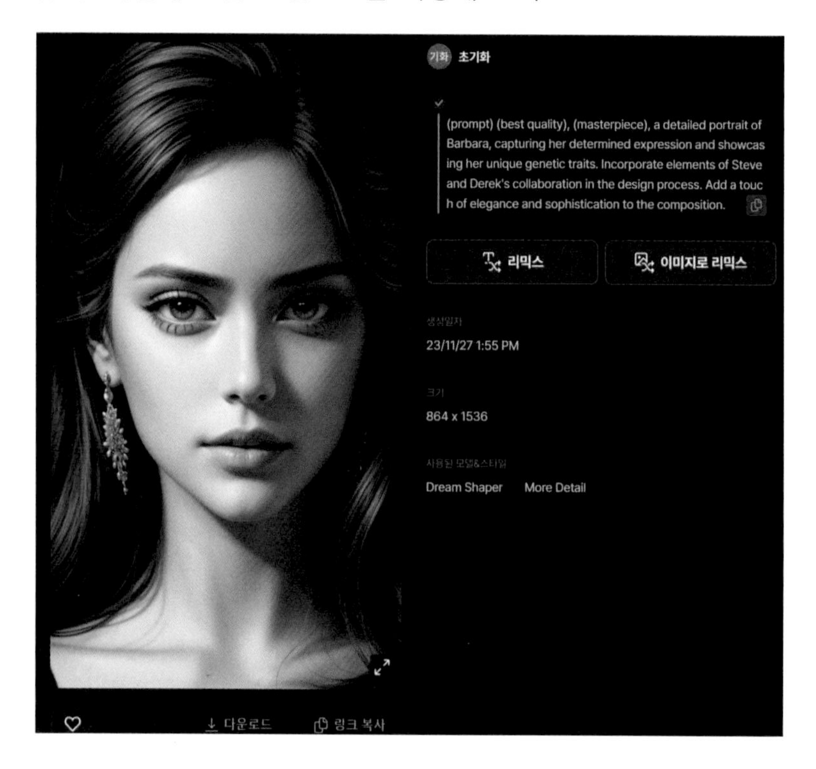

- 얼굴변환, 카이버 AI

https://kaiber.ai/ 에 접속한다.

구글계정으로 간편로그인을 진행한다.

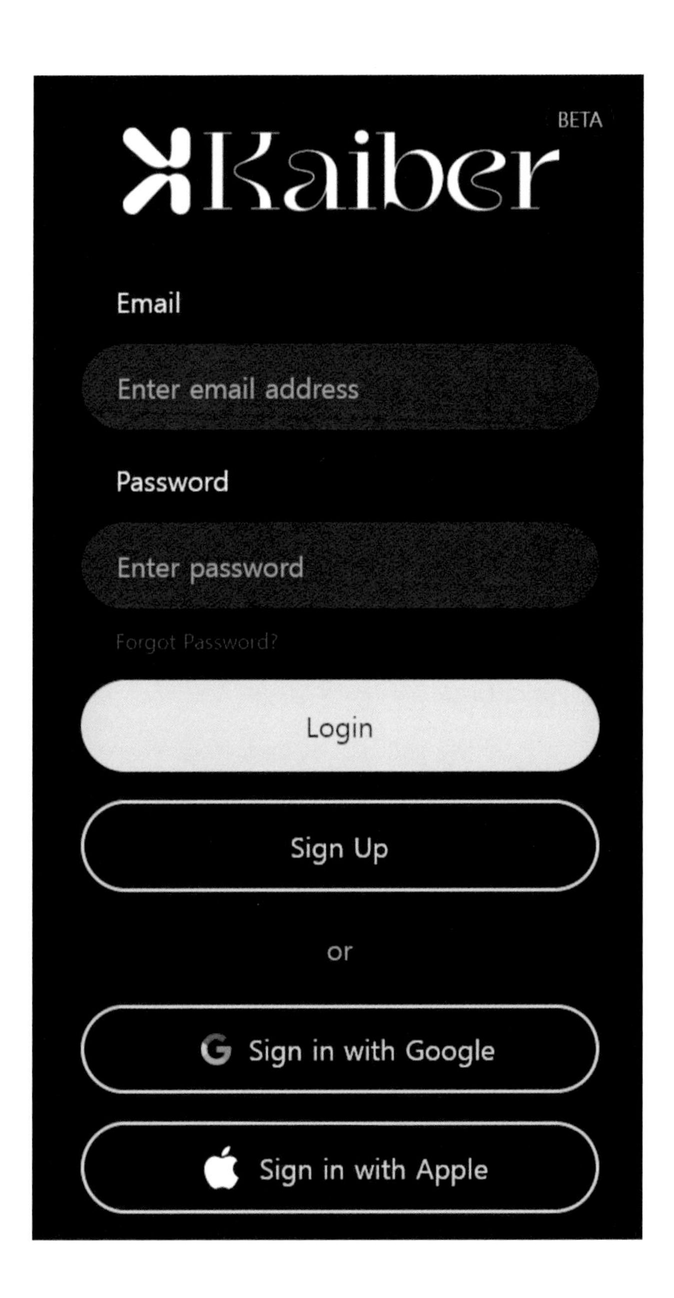
BETA
Kaiber
Email
Enter email address
Password
Enter password
Forgot Password?
Login
Sign Up
or
Sign in with Google
Sign in with Apple

아래 버튼을 클릭한다.

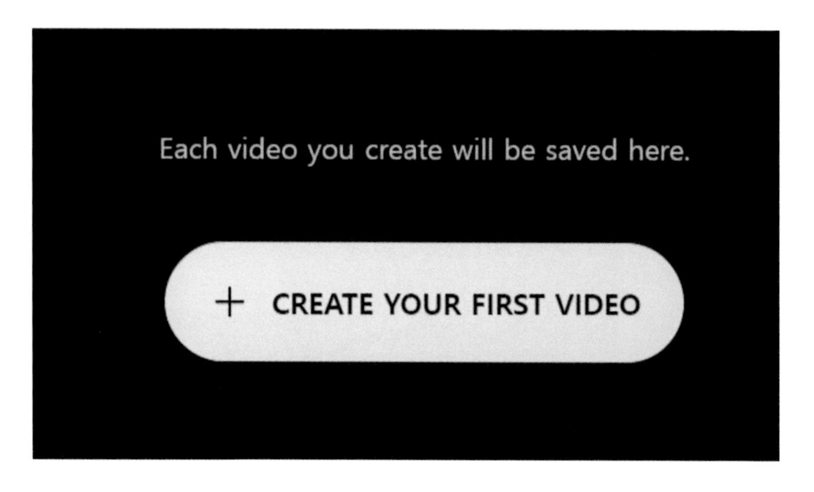

내가 가지고 있는 이미지를 업로드했다.

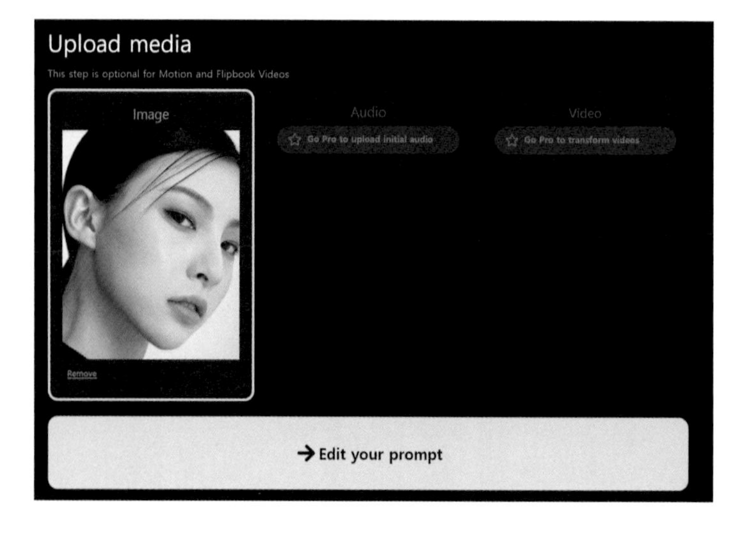

예시에 나와 있는 프롬프트를 선택하여 내가 올린 이미지에 적용해 달라고 지시했다.

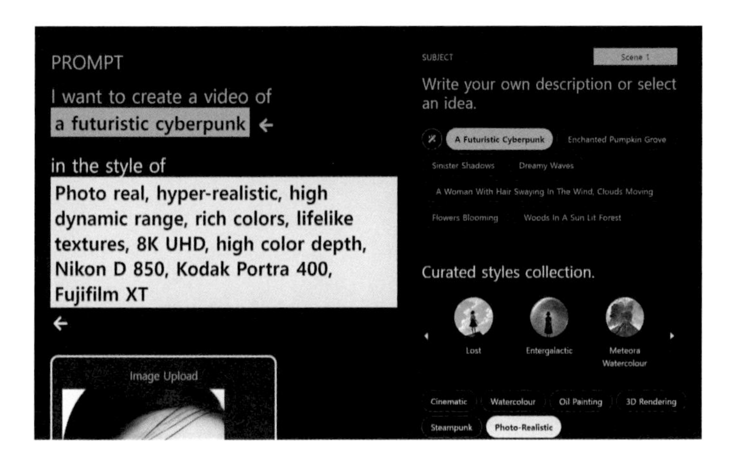

프롬프트가 적용된 프리뷰가 생성되었다.

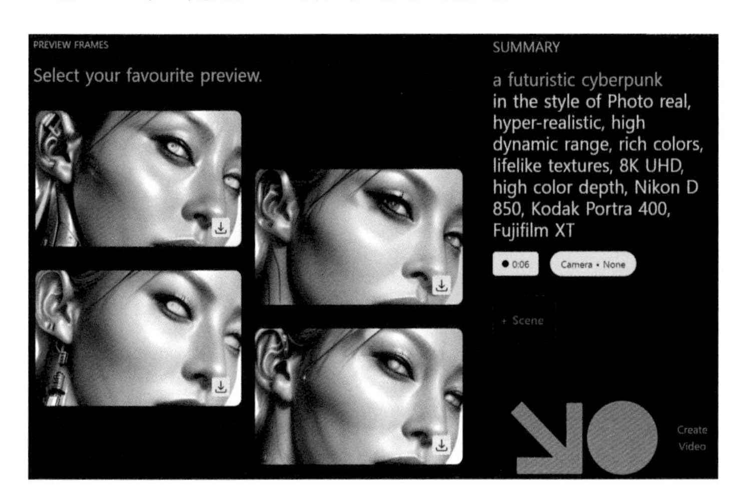

원하는 이미지를 다운로드 받으면 된다.

동영상, 음성을 더하려면 유료결제를 해야 하니, 필요하면 유료로 사용해 보자.

- 배경음악을 작사 작곡까지, beatbot AI

https://pro.splashmusic.com/ 에 접속한다.

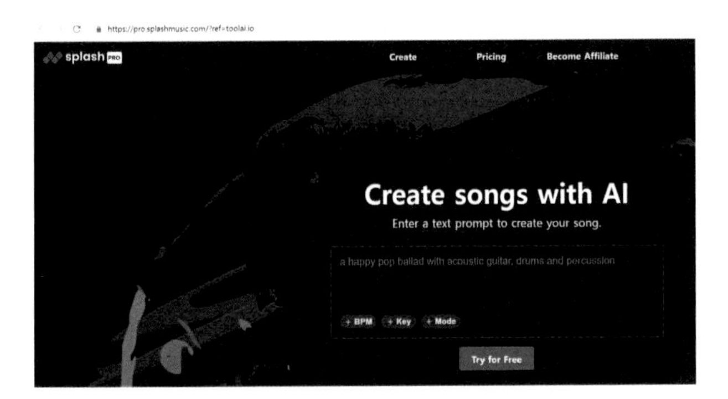

구글계정으로 간편로그인을 진행한다.

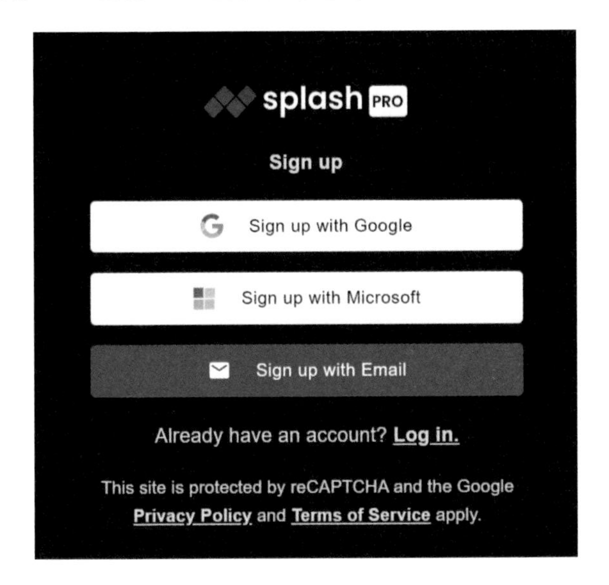

옵션을 주고 음악을 생성해보자

Create songs with AI

Enter a text prompt to create your song.

Gen-1 Gen-2 NEW

techno, acid, minimalist, dark

M e.g. slow = 60 or fast = 120:140 Mode Major Key C#

Improve Generate Song

- 가사는 내가, AI가 노래, Suno AI

https://www.suno.ai/ 에 접속한다.

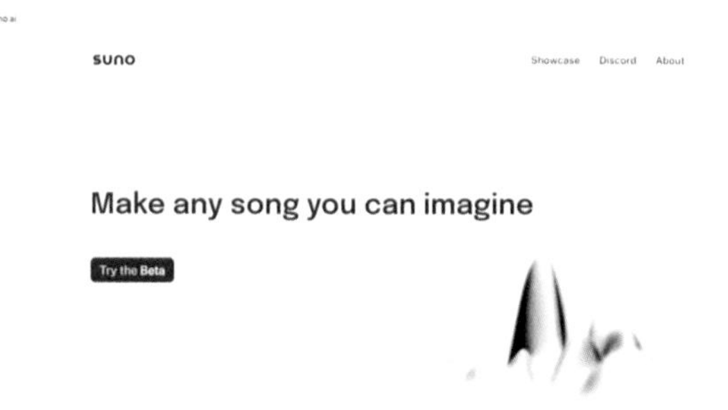

구글계정으로 간편로그인을 진행한다.

Sign in

to continue to Suno

Continue with Discord

Continue with Google

No account? Sign up

원하는 가사를 적고 스타일을 넣어준다. 예시에서는, 영국 시티 팝 스타일로 해달라고 적었다.

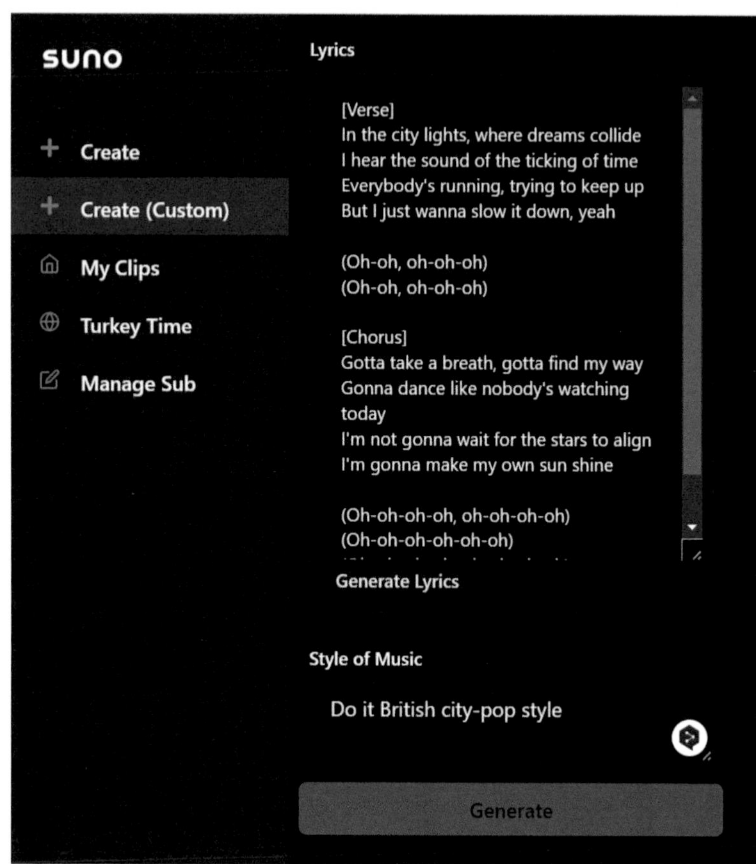

Suno ai 에서는 40초 분량의 음악을 만들어주니, 감안하여 작업이 필요하다.

03
문서, 리서치 도구

- PPT 제작, 감마

https://gamma.app 에 접속한다

역시 마찬가지로 구글 간편 로그인을 진행한다.

가입하기

Google로 계속하기

또는

이메일

이미 계정이 있으신가요? 로그인

Gamma에 가입하면 본인이 Gamma의 서비스 약관 및 개인정보처리방침에 동의함을 승인하게 됩니다.

작업공간을 정하고 설정을 진행한다.

단계 1/2

Gamma에 오신 것을 환영합니다

시작하려면 작업 공간의 이름을 지정하세요.

팀 또는 회사 개인

작업 공간 이름

andy cho's Workspace

작업 공간 만들기

P.S. 이 설정은 나중에 언제든지 전환할 수 있습니다

원하는 문서작업을 선택한다.

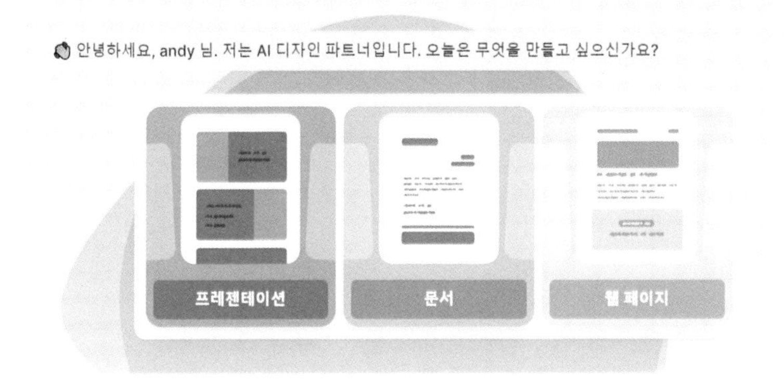

템플릿 적용, 프롬프트 생성 까지 자동으로 진행한다.

결과물은 사용자가 얼마든지 수정할 수 있다.

작성한 문서는 내보내기 기능을 통해 다운로드 받을 수 있다. 물론, 다운로드 받아 수정이 가능하다.

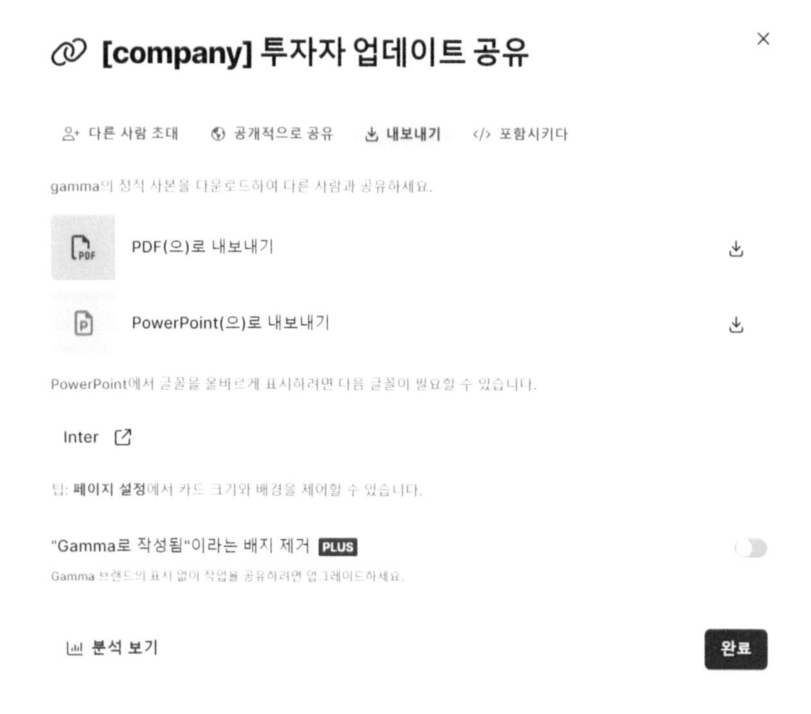

- 나만의 챗봇 비서 만들기, GPTs

ChatGPT에 접속한 뒤 로그인한다. 그리고 좌측 상단 Explore 메뉴를 클릭한다.

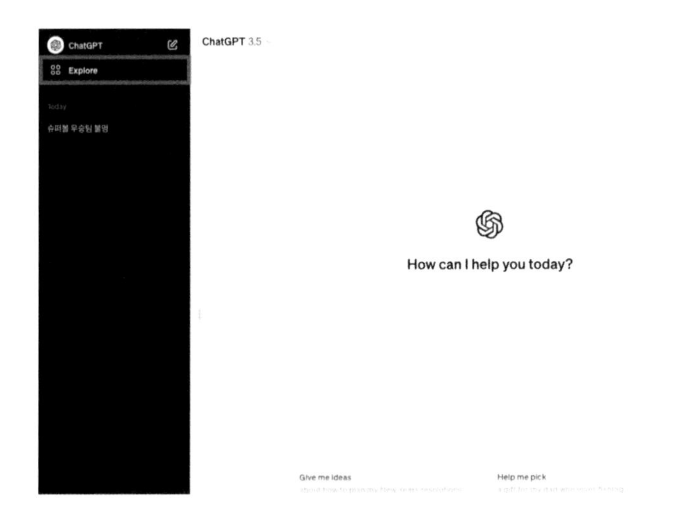

Explore에서 Creat a GPT를 선택한다.

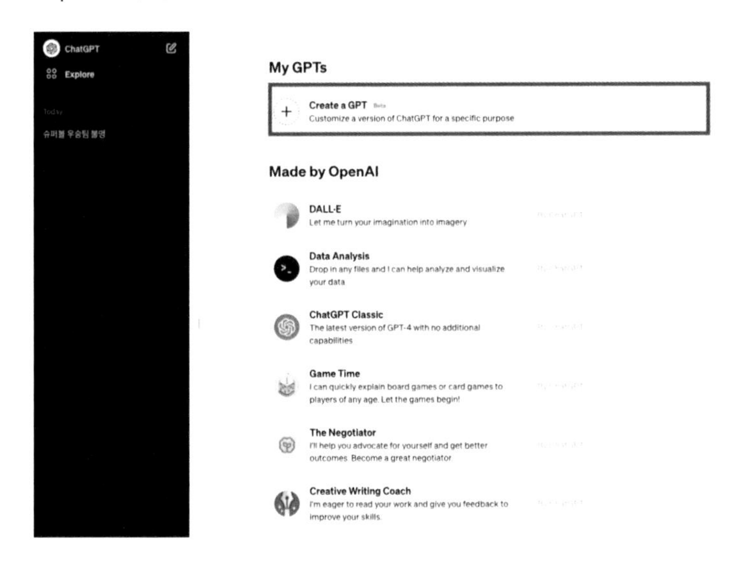

Configure를 선택하여 정보를 입력하고 사용하면 된다.

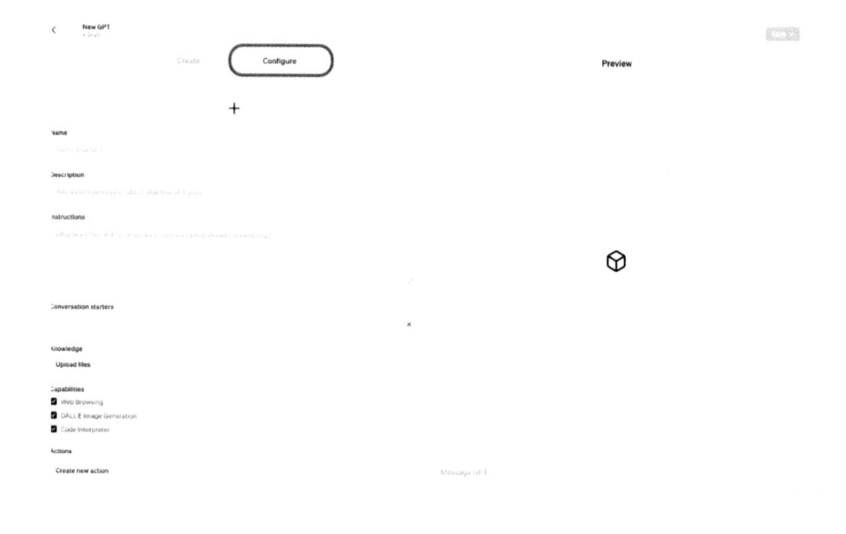

내가 만든 챗봇의 성격과 역할을 추가 입력한다.

또한, 이 챗봇에 접근권한을 설정하여 나만 사용할 수 있게 설정할 수 있다.

다른 사람이 만들고 공개한 GPTs 챗봇도 바로 사용해 볼 수 있다. 스마트폰에서 App을 다운로드 받아 사용하는 것처럼 GPTs도 원하는 GPT를 다운받아 사용하면 된다.

4장
내가 원하는 답을 얻는 마법,
생성형 AI 프롬프트

01
프롬프트 4원칙

- 챗GPT에 충분히 자세하게 물어보기

자세하게 물어보는 것이 중요하다. 챗GPT가 사용할 수 있는 데이터, 재료를 충분히 제공해야 한다는 것이다.

역할, 목적, 배경, 결과물 포맷, 분량, 절차, 참고 데이터, 예시를 적절하게 사용하여 질문한다.

예를 들어, GPT를 사람이라고 가정하고, 일을 시켜보자.

너는 AI연구원이야. 시장 동향 보고서를 발표용으로 작성해줘.

아래 사항을 고려해줘

- 주제: AI 기술의 시장 동향 보고서

- 목표: 최대한 쉬운 용어로 일반인에게 설명하기

- 대상 청중: 10대 남성

- 결과물 길이 : 2,000단어

- 언어 : 한국어

- 문서 포맷 : PPT에 사용할 거야

- 말투: 전문적인 컨설턴트 처럼 작성해줘

이런식으로, 가능한 구체화 하는 것이 중요하다. 구체적으로 적시할수록 답변 역시 구체화되는 것을 느낄수 있을 것이다.

- 계속 이어서 세부적으로 질문하기

위 포맷으로 자세하게 물어봐도 GPT는 의도를 오해하여 엉뚱한 답변을 할 가능성이 있다.

그렇기 때문에 첫 질문에 대한 답변을 보고, 어떤 부분을 수정해야 하는지, 어떤 점을 강조하고 싶은지, 이런 부분은 더 찾아달라고 추가 요청해야 한다. 만약, 틀린 내용이 있으면 고쳐 주고, 누락된 내용이 있으면 더 추가해 달라고 요청하면 된다.

- 짧게 간결하게 질문하기

문장을 너무 길게 사용하면 GPT가 해석하면서 엉뚱한 방향으로 빠질 수 있다. 가능한 간결한 단어와 핵심 키워드 중심으로 설명하는 것을 추천한다.

- 안되면 영어로 질문하기

GPT는 한국어보다 영어에 친숙하다. 한국어를 지원하긴 하지만 미묘한 뉘앙스나, 맥락을 놓치는 경우가 많다. 한국어로 질문을 작성하고 딥엘 같은 번역 프로그램을 통해 영어로 바꾸어 질문하면 답변이 훨씬 좋아지는 것을 알 수 있다.

02
프롬프트 예시

- 문장 요약

문장 요약은 자연어 생성의 대표적인 작업 중 하나이다. 문장 요약은 여러 주제와 도메인을 포함한다. 사실, 언어 모델의 가장 유망한 애플리케이션 중 하나는 기사와 개념을 빠르고 읽기 쉽게 요약할 수 있는 능력이다. 프롬프트를 사용하여 간단한 요약 작업을 시도해 보겠다.

Prompt:

항생제는 세균 감염을 치료하기 위해 사용되는 약물의 일종입니다. 세균을 죽이거나 번식을 방지하여 신체의 면역 체계가 감염에 대항할 수 있도록 합니다. 항생제는 보통 알약, 캡슐, 액체의 형태로 경구 복용하거나 때때로 정맥 주사로 투여되기도 합니다. 항생제는 바이러스 감염에는 효과적이지 않고, 남용할 경우 항생제 내성이 생길 수 있습니다.
위 내용을 한 문장으로 요약해 줘:

Output:

항생제는 박테리아를 죽이거나 번식을 막음으로써 감염을 치료하는 데 사용되는 약이지만, 바이러스에 효과적이지 않고 과도한 사용은 항생제 내성을 초래할 수 있습니다.

- 정보 추출

주어진 단락에서 정보를 추출하는 프롬프트의 예시를 살펴보겠다.

Prompt:

```
연구 논문의 저자 기여도 진술서과 사사는 저자들이 원고 작성과 분석에 ChatGPT 등 AI 기술을 사용했는지 여부와 범위를 명확
하고 구체적으로 명시해야 합니다. 또한 어떤 LLM이 사용되었는지 표기해야 합니다. 이를 통해 편집자와 심사자가 잠재적 편
향, 부정확성 및 부적절한 출처 등의 문제를 고려해 원고를 보다 신중하게 검토하도록 유도할 수 있습니다. 마찬가지로, 과학
저널은 투고된 원고 선정 시 LLM 사용 여부를 투명하게 공개해야 합니다.
위 단락에서 언급한 대규모언어모델 기반 제품을 알려줘.
```

Output:

```
위 단락에서 언급한 대규모언어모델 기반 제품은 ChatGPT입니다.
```

- 질의응답

프롬프트는 지시, 문맥, 입력 데이터와 출력 지시자를 조합하여 더 나은 결과를 얻을 수 있다. 이러한 요소는 필수적인 것은 아니지만, 지시가 구체적일수록 더 좋은 결과를 얻을 수 있다. 다음은 보다 구조화된 프롬프트를 실행해 보겠다.

Prompt:

```
아래 문맥을 고려해서 질문에 답변해 줘. 답변은 짧고 간결하게 해 줘. 답변이 정확하지 않다면, 「확실치 않은 대답」이라고 응답해 줘.
문맥: Teplizumab은 Ortho Pharmaceutical이라는 뉴저지의 제약 회사에서 유래했다. 그곳에서, 과학자들은 OKT3라는 항체의 초기 버전을 만들어 냈다. 원래 쥐에서 유래된 이 분자는 T 세포의 표면에 결합하여 세포를 죽이는 잠재력을 제한할 수 있다. 1986년, 신장 이식 후 장기 거부 반응 예방을 위해 승인되어 인간이 사용할 수 있는 최초의 치료용 항체가 되었다.
질문: OKT3는 어디서 유래했는가?
답변:
```

Output:

```
쥐.
```

- 텍스트 분류

문맥과 여러 요소들을 고려하여 적절한 프롬프트를 사용할 필요가 있다. 구체적으로 질문하는 것이 중요하다는 것을 다음 예시를 통해서 살펴보겠습니다

Prompt:

```
문장을 neutral, 부정 혹은 긍정으로 분류해 줘.
문구: 그 음식은 그럭저럭이었어.
감정:
```

Output:

```
Neutral
```

03
프롬프트 기법

- Zero-Shot 기법

모델에 예제를 제공하지 않았다. 이는 제로샷으로 동작된 것을 알 수 있다.

Prompt:

```
텍스트를 중립, 부정 또는 긍정으로 분류합니다.
텍스트: 휴가는 괜찮을 것 같아요.
감정:
```

Output:

```
중립
```

- Few-Shot 기법

게임에서 이겼을 때, 우리는 모델이 하나의 예시(예, 1-shot)만 제공함으로써 어떻게든 과제를 수행하는 방법을 학습했음을 관찰할 수 있다. 더 어려운 과제의 경우 예시(예, 3-shot, 5-shot, 10-shot, etc.)를 늘려가며 실행해 볼 수 있다.

Prompt:

```
"whatpu"는 탄자니아에 서식하는 작은 털복숭이 동물입니다. whatpu를 사용하는 문장의 예
라는 단어를 사용하는 문장의 예입니다:
우리는 아프리카를 여행하고 있었는데 아주 귀여운 whatpu를 보았습니다.
"farduddle"을 한다는 것은 정말 빠르게 위아래로 점프한다는 뜻입니다. farduddle을 사용하는 문장의 예
를 사용하는 문장의 예입니다:
```

Output:

```
게임에서 이겼을 때 우리 모두는 farduddle를 시작했습니다.
```

- Chain-of-Thought 기법

중간 추론 단계를 통해 복잡한 추론을 가능하게 한다. 이를 단답형 프롬프트와 결합하면 응답하기 전에 추론이 필요한 복잡한 작업에서 더 나은 결과를 얻을 수 있다.

Prompt:

```
이 그룹의 홀수의 합은 짝수야: 4, 8, 9, 15, 12, 2, 1
A: 홀수(9, 15, 1)를 모두 더하면 25가 돼. 정답은 거짓이야.
이 그룹의 홀수의 합은 짝수야: 15, 32, 5, 13, 82, 7, 1
A:
```

Output:

```
홀수(15, 5, 13, 7, 1)를 모두 더하면 41이 돼. 답은 거짓이야.
```

- 자기 일관성(self-consistency) 기법

추론과 관련된 작업에서 생각의 사슬 프롬프트의 성능을 향상시킬 수 있다.

Prompt:

```
내가 6살이었을 때 내 여동생은 내 나이의 절반인 나이였어. 지금
나는 70살이라면 여동생은 몇 살일까?
```

Output:

```
35
```

- 프롬프트 마켓플레이스

유용한 프롬프트를 사용할 수 있는 마켓 플레이스

PromptBase

URL : https://promptbase.com/

PromptHero

URL : https://prompthero.com/

Arthub.ai

URL : https://arthub.ai/library

PromptSea

URL : https://www.promptsea.io/

프롬프트를 어떻게 사용하느냐에 따라 GPT의 답변의 질이 달라진다. 다소 모호한 프롬프트를 기재하면 당연히 모호한 답변이 나올 수밖에 없다.

프롬프트의 속성을 파악하여 장소와 상황을 묘사하듯이 기재할수록 의도에 맞는 답변이 생성될 것이다.

단, 너무 자세하게 묘사할수록 당연히 제약이 많아질 수밖에 없는데, 너무 제약이 많은 경우 엉뚱한 답변이 나올 수 있는 여지가 있다. 사용하면서 강약을 잘 조절해 보자.

GPT의 버전이 올라갈수록 정확도와 속도, 답변의 질이 폭발적으로 달라지고 있다. 이 속도는 더욱 빨라질 것이며 프롬프트의 편의성도 지속적으로 개선될 것이다.

결국, 얼마나 정확한 프롬프트를 사용할 수 있느냐가 경쟁력이 될 것이다.

프롬프트 사용법과 다양한 GenAI 도구를 사용하는 방법 모두 많이 경험할수록 세련되게 사용할 수 있을 것이다.

세상은 빠르게 변하고 있고 우리 앞에는 AI가 놓여져 있다.

자, 이제 마음껏 사용해보자. AI 혁명은 이제 시작이다.

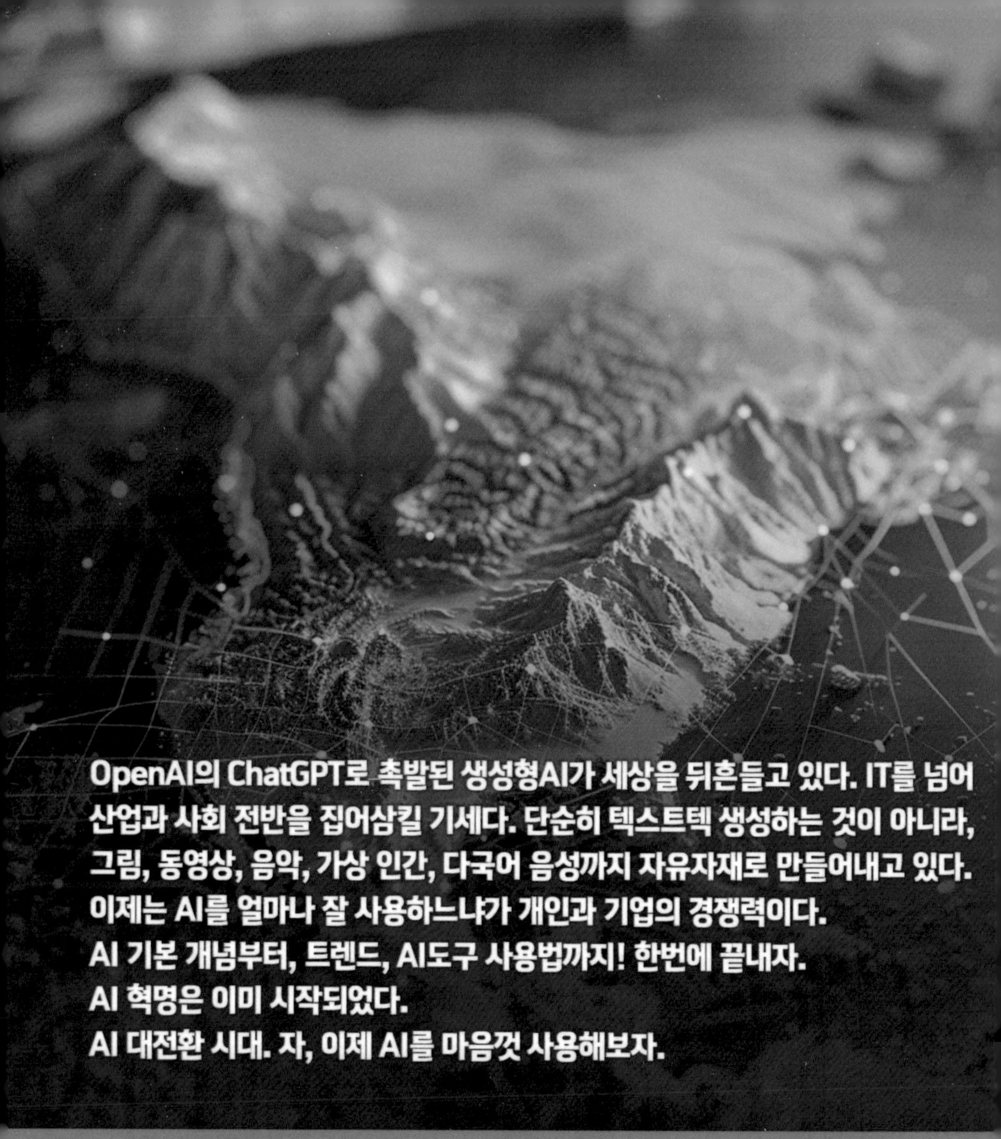

OpenAI의 ChatGPT로 촉발된 생성형AI가 세상을 뒤흔들고 있다. IT를 넘어 산업과 사회 전반을 집어삼킬 기세다. 단순히 텍스트텍 생성하는 것이 아니라, 그림, 동영상, 음악, 가상 인간, 다국어 음성까지 자유자재로 만들어내고 있다.
이제는 AI를 얼마나 잘 사용하느냐가 개인과 기업의 경쟁력이다.
AI 기본 개념부터, 트렌드, AI도구 사용법까지! 한번에 끝내자.
AI 혁명은 이미 시작되었다.
AI 대전환 시대. 자, 이제 AI를 마음껏 사용해보자.

값 16,500원

ISBN 979-11-93116-77-7

표지 디자인
어비